Cuidado PASTORAL

CONTEXTUAL E INTEGRAL

Cuidado PASTORAL

CONTEXTUAL E INTEGRAL

REBECA M. RADILLO

LIBROS DESAFÍO®

2007

Dedico este libro a mis padres
Francisco René y Felicia Radillo,
dos personas sabias
que siempre me instaron a ser fiel a mis sueños
y me apoyaron en alcanzarlos,
respetaron mis decisiones
y celebraron mis éxitos.

Contenido

Agradecimiento

Este libro surge como resultado de las muchas conversaciones con el liderazgo congregacional que a diario se enfrenta con situaciones complejas y para las cuales se sienten que no cuentan con recursos básicos que les permita responder de manera responsable e informada a quienes sirven.

Este libro es también el resultado de mis experiencias presentando talleres de capacitación en el área de cuidado pastoral contextual e integrado a grupos multi-denominacionales en los Estados Unidos y Puerto Rico. Invariablemente los grupos manifiestan la necesidad de obtener una preparación adecuada para servir a sus comunidades responsablemente. Para estas personas este trabajo inicial presentado en el libro. Mi gratitud por su inspiración y su apoyo durante el desarrollo del manuscrito.

Al cuerpo estudiantil del Instituto Latino de Cuidado, Inc, New York Theological Seminary, Drew Theological School y al estudiantado del Programa Hispano del General Theological Seminary, gracias por permitirme compartir con ustedes mucho del material presentado en este libro. ¡Gracias mil!

Un agradecimiento sincero a quienes leyeron el manuscrito y contribuyeron al fortalecimiento del material presentado. A mis colegas, Dale Irvin, Samuel y Yolanda Acosta, Humberto Alfaro, Miriam Shelton, Justo González, Saul Espino, Dinelia Rosa y Margaret Kornfeld. ¡Gracias! A Vicente Echerri por su trabajo editorial, a Lillian Rodríguez y Tamisia

White por su ayuda técnica. Y qué decir de una familia que me ha alentado, retado y apoyado durante todo este proceso. Raquel Hussey mi hermana y su esposo Paul, Gabriel Romero mi sobrino, a Betty Purkey y a Carmen Soto, Louise Theurer y Eleanor Derby, quienes son parte de la familia extendida tan valiosa dentro de nuestra cultura hispana.

Rebeca M. Radillo
junio de 2007

Introducción

«Yo he venido para que tengan vida,
y para que la tengan en abundancia».
—Jesús
(San Juan 10:10)

¿En qué consiste el ministerio del cuidado pastoral? ¿Cuáles son sus funciones dentro del ministerio integral de la iglesia? El ministerio del cuidado pastoral es por definición toda actividad que se lleva a cabo en el contexto congregacional. Este ministerio tiene ramificaciones comunitarias y lo inicia el liderazgo de una comunidad de fe.

La práctica intencional de este ministerio promueve restauración, crecimiento, liberación y inviste de poder a los que reciben sus beneficios y servicios. El término «cuidado pastoral» se presta a ser entendido como la labor exclusiva de la persona «ordenada». Por esta razón, tanto el laicado como sus pastores asumen que este ministerio está reservado o limitado al liderazgo pastoral ordenado.

En su libro *Contemporary Images of Christian Ministry*,[1] Donald Messer enfatiza que el ministerio es un regalo para el pueblo de Dios y, en consecuencia, una función de toda la iglesia reflejada en el concepto de diakonia, que incluye tanto el liderazgo laico como el ordenado.

La palabra «pastoral» se refiere específicamente al concepto antiguo del cuidado de las ovejas y a la atención que éstas requerían para mantenerlas sanas y a salvo de animales depredadores. Esta tarea de guardar y proteger los rebaños exigía el dominio de conocimientos y destrezas específicas. Hasta el presente no se ha aceptado otro término tradicional para la ayuda que prestamos.

La práctica de este ministerio ha de reflejar todos los aspectos que contribuyen a la edificación de la persona dentro de su contexto social. En este libro usamos la definición que aparece a continuación, cuyo objetivo es la integración de los aspectos biológicos, psicológicos, sociales y espirituales de la persona, para así entender la complejidad del ser humano, sus capacidades y sus problemas.

El esquema que sigue refleja este modelo integral y el modo en que cada uno de sus elementos interactúan en la vida personal y cómo afecta el ministerio. No podemos servir de manera responsable a nuestras comunidades de fe y en medio de ellas a menos que entendamos estas realidades y nos preparemos para llevar a cabo este ministerio. Inicialmente George Engel introdujo un modelo conceptual en 1977, que solamente incluía el aspecto biológico, social y psicológico. Más tarde se incluyo el aspecto espiritual. Este modelo es usado por otras disciplinas sociales. Pienso que este modelo es fundamental para el ministerio del cuidado pastoral.

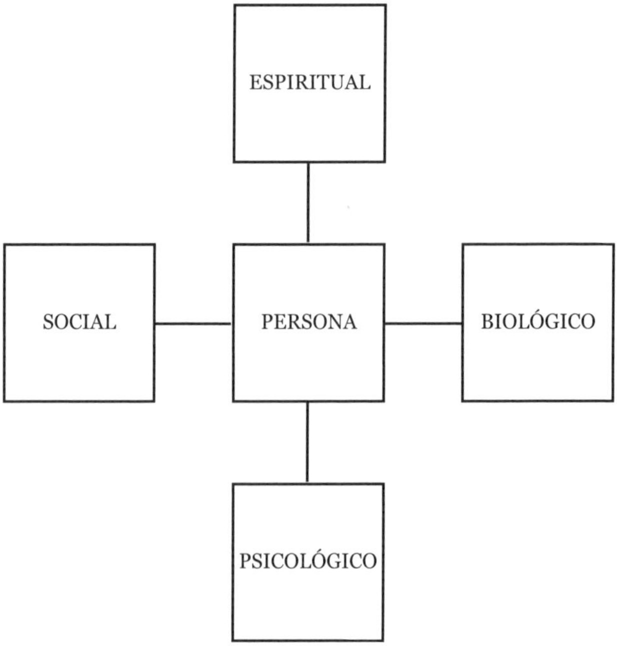

La definición del ministerio de cuidado pastoral tiene como objetivo reflejar un modelo integral y fundamental sobre el cual descansan las bases de este ministerio en las comunidades de fe.

Definición

- «El ministerio del cuidado pastoral es un ministerio integral de restauración, liberación e investidura de poder, abarca *todos* los aspectos de la vida y se manifiesta en todos los ministerios y actividades de la comunidad de fe.
- El cuidado pastoral es inclusivo y sistémico e incluye las experiencias contextuales de individuos y grupos.
- El ministerio del cuidado pastoral intenta deliberadamente entender la fragmentación y aislamiento tanto individual como de grupos, y responde mediante el establecimiento de una relación mutua centrada en la confianza y la aceptación de quienes buscan ayuda y apoyo.

Existe un peligro dentro de las comunidades de fe y es el de la polarización de los aspectos espirituales, sociales, políticos y económicos. Este fenómeno surge como consecuencia de una teología individualista, eurocéntrica y limitada que nos enseñó a dividir el mundo en dos, entre lo secular y lo sagrado. Es curioso que aún la arquitectura de nuestros templos resalte la separación entre el «altar» y «el pueblo». Dividimos al ser humano en alma y cuerpo, poniendo siempre al alma en un nivel superior, y al cuerpo y sus necesidades en un plano secundario. Contrario a tal actitud, aparecen los relatos descriptivos en el libro del génesis de la creación, que afirma que el cuerpo fue creado primero y «el espíritu» impartido luego. Como resultado, ambos deben mantenerse integrados como creación sagrada de Dios.

Otro aspecto importante en el desarrollo de una teología y de una definición del ministerio del cuidado pastoral es el establecimiento de un diálogo teológico con otras disciplinas tales como la sociología, la antropología, la psicología y las ciencias naturales. Estas disciplinas nos ayudan a entender e interpretar el comportamiento del ser humano. La teología integral tiene también mucho que aportar a dichas ciencias y es realmente una pérdida inapreciable cuando no tiene lugar debido a la resistencia del liderazgo religioso.

Las resistencias que surgen como obstáculos para dialogar con dichas disciplinas dentro del marco teológico pueden explicarse de varias maneras. En primer lugar, existe un sentido de *inseguridad existencial* que no permite aceptar que Dios nos habla y enseña a través de otros medios y aún a través de personas que se encuentran fuera del contexto cristiano, lo que realmente revela un concepto de Dios limitado y rígido.

En segundo lugar, otra razón por la cual rehuimos de este diálogo es porque nos hace reflexionar, pensar de manera crítica y evaluar nuestros conceptos teológicos actuales, lo cual nos puede llevar a la conclusión de que algunos de esos conceptos no revelan realidades actuales y, por consiguiente, resultan puestos en entredicho por nuevos descubrimientos sociales y científicos. El dialogar con otras disciplinas muestra una fe genuina y profunda. El tener la habilidad de pensar críticamente es en realidad una bendición y dádiva de Dios, que nos permite entender la magnitud e inteligencia de la creación y relacionarlo con todo lo que existe, lo cual redunda en beneficio a la humanidad.

En tercer lugar, percibir cambios en lo que hemos considerado verdadero y «sagrado» produce gran ansiedad, ya que se entiende como un riesgo en lugar de un proceso natural y esencial de crecimiento y una muestra indiscutible de lo que reconocemos o entendemos como discernimiento de la fe. Es más fácil abrazar o aceptar una fe rudimentaria pero cómoda que adentrarse en el proceso de examinar las creencias que se nos han enseñado y que hemos aceptado como fundamentos de nuestra fe y de nuestros ministerios. Jesús siempre indujo a sus discípulos y seguidores a pensar profundamente.

Por ejemplo, en el evangelio según Marcos, Jesús le hace la siguiente pregunta a sus discípulos: «¿Quién dice la gente que soy yo?»[2] Sus discípulos comienzan a decirle lo que otros dicen, pero Jesús insiste haciéndoles de nuevo una pregunta aún mas directa «Y *ustedes*, ¿quién dicen que soy yo?» En otras palabras, no es lo que los demás creen, ellos deben de pensar por sí mismos después de haber compartido la vida y enseñanzas de Jesús. El pensar profundamente es parte del desarrollo de una fe madura.

Es preciso trascender la noción de que existe una separación entre lo sagrado y lo secular. Dicha noción es contraproducente y limita nuestra capacidad de apreciar una de las principales dádivas de Dios: el mundo y lo corporal. Los seres humanos han creado esa separación por cuenta de una deficiencia en el concepto de la mayordomía de la vida como totalidad. El primer regalo de Dios antes de la creación del ser humano es el mundo, un mundo que según el relato bíblico indica que a los ojos de Dios, este mundo creado «era bueno».[3] Hemos sido negligentes en incorporar esta realidad dentro de nuestros contextos teológicos.

Es importante enfatizar categóricamente que el ministerio de Jesús se distinguió entre otros factores porque Jesús invitaba a sus seguidores a pensar en sus actitudes religiosas y sociales y al mismo tiempo les proponía nuevos paradigmas o ejemplos frente a una religión que fundamentalmente perpetuaba dogmas, tradiciones y rituales rígidos. Tales dogmas y rituales tendían a relegar a un segundo plano las necesidades del ser humano y su comunidad, sobre todo de la mujer y otras personas marginadas por la sociedad de entonces.[4]

Jesús mostró el amor de Dios por su pueblo y ofreció un ejemplo de cómo vivir una fe madura, profunda y sana a través de la utilización de parábolas, de sus relaciones con los marginados y de sus actos de sanidad en el día de «reposo». Su continua insistencia en presentar el Reino de Dios como una manifestación totalizadora del amor y de la aceptación de parte de Dios de sus hijas e hijos fue obviamente interpretada como una actitud ofensiva y escandalosa en el seno jerárquico de su propia religión.

Es de gran importancia que las comunidades de fe y el liderazgo de las mismas puedan adoptar e imitar el patrón ofrecido por Jesús mismo como modelo en la práctica del cuidado pastoral en sus congregaciones y comunidades. En nuestro contexto postmodernista la gente padece de soledad existencial y alienación. En las ciudades en particular, existe un sentido de anonimato que provoca crisis y conflictos espirituales y emocionales al mismo tiempo que la sociedad se ve «infectada» por el pecado de la avaricia, la indiferencia y los prejuicios sociales y religiosos que vienen a añadirse a las presiones individuales existentes, aun dentro de las iglesias en la cuales un sinnúmero de feligreses de nuestras congregaciones se encuentran ensimismados.

El ministerio del cuidado pastoral incluye deliberadamente el contexto social en el cual viven y se desenvuelven tanto los feligreses como quienes se acercan a la iglesia con esperanzas de recibir atención y cuidado. Esto le impone a la iglesia un privilegio y una responsabilidad; y sus lideres han de entablar deliberadamente un dialogo con otras disciplinas ya que la persona es una unidad que se ve afectada por sus creencias, sus emociones, su herencia biológica y las fuerzas sociales del medio ambiente. De ignorar esta realidad se estará simplificando y fragmentando al ser humano y sus problemas y excluyendo valiosa información de primera importancia para su restauración integral.

El diálogo con las distintas disciplinas facilitan el entender las razones por las cuales las personas no pueden ser separada de su medio ambiente y el papel vital que las relaciones interpersonales y contextuales juegan en lo que las personas llegan a ser. Por ejemplo, si un individuo está desconectado del resto de su comunidad, aislado por su familia o comunidad de fe, esto puede resultar en el desarrollo de conflictos psicológicos, espirituales y físicos que afectan la personalidad, el comportamiento, las emociones y la vida espiritual de personas a quienes se sirven. Las distintas disciplinas clarifican e imparten conocimientos esenciales para llevar a cabo este ministerio.

W. Oglesby, un autor prolífico en el campo del cuidado pastoral, nos recuerda que la antropología nos ayuda a entender las narraciones bíblicas de la siguiente manera: «los seres humanos son criaturas creadas a la imagen de Dios y, por lo tanto, capaces de crear y capaces de pecar».[5] La antropología ha contribuido a las discusiones teológicas de San Agustín y la *imago Dei* así como las de Santo Tomás de Aquino. En el debate antropológico más reciente se ha centrado en la tesis de que la persona ha sido creada por Dios y que por lo tanto, en el orden natural de la creación, el ser humano está llamado a ejercer su mayordomía en el mundo natural.

La tesis de este libro consiste en destacar el carácter central del cuidado pastoral en toda la vida de la iglesia y en todo proyecto o actividad de alcance comunitario. La conceptualización del ministerio del cuidado pastoral incluye el modelo biológico, sociológico, psicológico y espiritual. La práctica de este ministerio exige de quienes se comprometan con él, que participen en un proceso de crecimiento y desarrollo personal, intelectual y espiritual.

El papel de la iglesia como comunidad restauradora es de máxima importancia. Una iglesia sana es aquella en la cual su liderazgo tiene la capacidad de pensar en forma crítica, de adoptar una teología integral y la habilidad de poner en práctica las funciones y destrezas apropiadas del cuidado pastoral. El propósito de este libro es ofrecer una guía de estudio y práctica para quienes acepten el reto y la responsabilidad servir a un pueblo que busca orientación y restauración.

El ministerio del cuidado pastoral es para quienes estén listos a romper el silencio ante el clamor profundo de los que buscan ser restaurados, liberados, investidos de poder y aceptados. Éste es un ministerio para los que quieren crecer y madurar en su propia fe, a la vez que se sumergen en el aprendizaje de lo que significa ser una criatura de Dios en contextos sociales deshumanizantes que privan al ser humano de su dignidad innata.

Este ministerio es para quienes aprecian y reconocen la inteligencia del mundo creado por Dios. El ministerio del cuidado pastoral nos exige que entendamos al ser humano desde una perspectiva integral y apreciemos los cientos de factores que contribuyen a la formación de sus vidas y su conducta.

El ministerio del cuidado pastoral promueve la autodeterminación de personas a quienes se sirven, aún cuando en el ejercicio de su libertad tomen decisiones que sean contrarias a los valores y normas de quienes les brindan respaldo y ayuda. Esto quizás nos presenta el mayor desafío y el mayor problema. Aquí cabe recordar a los lectores el encuentro de Jesús con el joven rico que decidió no tomar en cuenta su dialogo con Jesús y siguió viviendo la vida a su manera. El relato cuenta que al irse de la presencia del Maestro, «Jesús lo miró con amor».[6]

Es de suma importancia recordar que la Iglesia es en verdad un centro de restauración y comunidad simbólica, llamada a ser un testimonio vivo del amor redentor de Dios. Esta institución social llamada *Iglesia,* a la cual pertenecemos, lleva a cabo su ministerio al contribuir al mejoramiento de la sociedad mediante la crítica y la búsqueda de soluciones a las condiciones deplorables en las cuales vive tanta gente. El cuidado pastoral incluye toda la persona y sus circunstancias, así también como a todos los ministerios dentro de la iglesia y la comunidad.

«La gloria de Dios es el ser humano
viviendo plenamente».
Ireneo de Lyón
(130-200 d.C.)

Notas

[1] Messer, Donald E., *Contemporary Images of Christian Ministry*. Abingdon Press, Nashville, Tenn. (1989).

[2] Marcos 8:27-29

[3] Génesis 1:31

[4] Marcos 3:1-6; Lucas 5:17-25; Juan 4:1-29

[5] Oglesby, W. *Implications of Anthropolgy for Pastoral Care and Counseling, Interpretation* 33, 1979.

[6] Marcos 10:21

Capitulo 1

Contexto teológico del cuidado pastoral

Yo soy el Dios de tus antepasados. Soy el Dios de Abraham, de Isaac y de Jacob. Moisés se cubrió la cara, pues tuvo miedo de mirar a Dios, pero el Señor siguió diciendo: Claramente he visto cómo sufre mí pueblo que está en Egipto. Los he oído quejarse por culpa de sus capataces, y sé muy bien lo que sufren. Por eso he bajado, para salvarlos del poder de los egipcios; voy a sacarlos del poder de los egipcios; voy a sacarlos de ese país y a llevarlos a una tierra grande y buena, donde la leche y la miel corren como el agua.

Éxodo 3:6-8a

Introducción

El ministerio del cuidado pastoral tiene como fin restaurar, liberar e investir de poder a las vidas fragmentadas y afectadas negativamente por el medio ambiente, condiciones emocionales, espirituales y biológicas. A su vez, este ministerio le brinda a la iglesia la oportunidad de «renovar y de encarar las necesidades de personas con problemas, nuevos canales para su ministerio de consolación, sanidad y crecimiento en este siglo».[1]

En el desarrollo de una teología del cuidado pastoral debe tenerse en cuenta que tal teología no puede omitir estos aspectos contextuales del ser humano. La referencia bíblica del Antiguo Testamento proporcionará una de las plataformas desde la cual lanzaremos la idea de que una teología del cuidado pastoral debe conceptualizarse como *teología integral* e *inclusiva* si es que en realidad queremos entender a la persona como la criatura completa y compleja que Dios creó. La segunda plataforma a la cual nos referiremos en el transcurso de este capítulo es tomada de la vida del mismo Jesús y de su ministerio.

Es preciso que se tenga en mente la necesidad de la reflexión teológica como resultado de la praxis ministerial y viceversa para llevar a cabo este ministerio. Esta disciplina nos permite mantener un equilibrio espiritual e intelectual entre nuestra fe y las actividades ministeriales. En segundo lugar respalda el establecimiento de un dialogo que incorpora nuestras creencias a nuestra practica ministerial y que profundiza el significado de las experiencias espirituales y humanas en el contexto social en el cual nos desenvolvemos.

En la presente sociedad postmoderna, las personas con problemas o en situaciones difíciles buscan más que nada una orientación profunda y dirección para sus vidas y no respuestas religiosas empaquetadas. Muchas veces se piensa que los dogmas rígidos y los conceptos teológicos que no toman en cuenta la complejidad del ser humano mantendrán al pueblo en los templos: la realidad es que por un tiempo eso puede funcionar pero tarde o temprano, en lo íntimo del ser humano, surgen sentimientos de frustración y culpabilidad que generan graves conflictos.

Por ejemplo, a través de mi ministerio me he encontrado un sinnúmero de personas que son parte de grupos o congregaciones en las cuales se prohíbe o se disuade a la feligresía a reflexionar profundamente sobre circunstancias complejas y muchas veces dolorosas de sus vidas. Lo triste de esta situación es que estas personas que aman a sus congregaciones y líderes terminarán por sentirse incómodos con tales exigencias. Esto tiene un alto costo para la salud espiritual y emocional de quienes se atreven a buscar dirección o respaldo para sus conflictos fuera de sus comunidades de fe.

Los principios teológicos en que se basa el ministerio del cuidado pastoral debe reflejar el contexto de aquellas personas a quienes se sirve y las experiencias existenciales de sus vidas. Toda teología refleja el contexto en que ha surgido. Esta afirmación de ningún modo diluye las realidades teológicas de la fe cristiana, sino que las enmarca en la cultura del pueblo y sus valores y experiencias reveladoras de la vida, de Dios y de la religión.

En el libro *Teología*, Luis G. Pedraja nos invita a pensar esta realidad a través de argumentos bíblicos, históricos y sociales. «El negar que la teología surge del contexto cultural es equivalente al negar la Encarnación o la realidad histórica de las Escrituras».[2]

En este capítulo incorporamos los principios básicos de la Teología Pastoral o Práctica. La Teología Práctica o Pastoral se define como una actividad ministerial transformadora, integrada y contextual. Esto implica que la meta de esta teología es la de efectuar un cambio especifico en la vida de las personas y sus contextos.

El proceso de reflexión teológica y la expresión de este proceso están estrechamente relacionados con toda práctica ministerial. Esta teología responde a la condición y experiencia del ser humano de manera integral. A continuación se presenta una lista limitada pero específica de los conceptos teóricos básicos de esta disciplina teológica. Estos conceptos han sido tomado del libro *The Blackwell Reader in Pastoral and Practical Theology*:[3]

1. El proceso de reflexión teológica está estrechamente relacionado con la práctica ministerial. De no ser esto una realidad, se estará sencillamente reaccionando a situaciones sin saber el porque ni el propósito de nuestra labor.
2. La teología práctica incorpora todo tipo de expresión pastoral, bíblica, emocional y social. Las realidades contextuales de las personas que se sirve de suprema importancia y exigen gran atención. El contexto social, emocional y las condiciones del mundo presente, sirven de información para el dialogo entablado por esta teología y las realidades del mundo actual.
3. Es analítica y constructiva. Básicamente esto nos sugiere que el eje sobre el cual gira la práctica de esta teología es el discernimiento y el cuestionamiento de circunstancias en las cuales una persona se encuentra y el esclarecimiento de los temas teológicos que surgen de tal situación. Esta teología no se preocupa tanto en dar respuestas como en hacer preguntas que esclarezcan las realidades y percepciones de las personas y como tales son concebidas a través de las lentes de esta teología. El ofrecer una respuesta tradicional basada en la ortodoxia no es el propósito principal de los proponentes de esta teología.
4. No es sistemática por naturaleza. Este punto se relaciona al anterior ya que esta teología es cambiante por definición. Los principios y valores cambian según el contexto y sus realidades. En un mundo en proceso no es prudente ofrecer definiciones inflexibles ya que no existen condiciones permanentes en el mismo. Los distintos

puntos de vista y las realidades locales o globales deben respetarse y entenderse dentro de los contenidos culturales y religiosos, (aun dentro de las distintas expresiones del cristianismo).

5. La naturaleza de esta teología exige que la misma se practique dentro de un marco interdisciplinario. Este punto es fundamental en el ministerio del cuidado pastoral. En este libro abordaremos la importancia de un dialogo interdisciplinario en la preparación de lideres en la práctica responsable e informada de este ministerio en sus congregaciones.

La Teología Pastoral o Práctica enmarca teológicamente el ministerio del cuidado pastoral. Sin embargo hay que resaltar que de modo alguno la misma no elude la perspectiva hispana, ni esquiva las expresiones culturales de nuestra espiritualidad.

Una teología como la que estamos describiendo, enfatiza que en un mundo postmoderno existe una sed e inquietud insaciable por la obtención de una vida espiritual profunda y saludable. Esta inquietud transciende las esferas sociales, educativas y religiosas. Esto implica que el liderazgo congregacional debe prepararse para servir a quienes se acerquen a nuestras comunidades de fe, buscando esperanza y dirección en tiempo de crisis o a tomar decisiones difíciles, así como desechar todo obstáculo que no les permita vivir una vida saludable o les limite sus posibilidades. Howard Clinebell nos recuerda que la práctica del ministerio del cuidado pastoral no solamente parte de una reflexión teológica en particular, sino que sirve también como una manera de «hacer teología».[4]

Cada situación nos confronta con la realidad de nuestra humanidad. Esta realidad incluye la existencia de un sinnúmero de interrogantes tales como el por qué del sufrimiento de personas inocentes, injusticias, abusos, etcétera, así como bendiciones y bienestar en la vida de otras personas que no viven la vida según nuestros conceptos y expectativas religiosas.

Teología integral y contextual del cuidado pastoral

¿Por qué basarnos en el texto en Éxodo para la teología contextual del cuidado pastoral? El texto bíblico escogido para este segmento de nuestra discusión refleja claramente a un Dios que sufre por las condiciones inhumanas causantes del quebrantamiento de su pueblo. La esclavitud había privado de la dignidad dotada por Dios a la mujer, al hombre y a un pueblo.

El texto expresa dramáticamente la falta de esperanza junto con los abusos físicos, emocionales y espirituales provocados por la esclavitud, que les había hecho pedir ayuda a Dios. La respuesta de Dios a este clamor conmovedor de su pueblo es el de llamar a Moisés a realizar una tarea liberadora y pedirle que se convierta en un líder político, ya que solo a través de esa liberación el pueblo de Israel, protagonista de este relato, podrá encontrar restauración espiritual, social y emocional; y solo así podrá gozar de la dignidad y de la esperanza que surge como resultado de sentirse libre de la opresión social en ese relato.

En muchos esquemas teológicos esta realidad es ignorada o «espiritualizada», es decir el énfasis se pone estrictamente en la necesidad de la liberación espiritual claramente; este texto nos enseña algo muy distinto. El pecado social de la esclavitud había deteriorado el espíritu y las emociones del pueblo. Moisés es llamado a una tarea de liberación social y política, solo así su pueblo podrá experimentar una restauración humanizante y completa.

En una conferencia dictada en el Seminario Teológico de Princeton, Elizabeth Conde-Frazier hace referencia a la contextualización como «tomar el mensaje del Evangelio, traducirlo y relacionarlo a situaciones particulares de la vida humana».[5]

El ministerio del cuidado pastoral nos alerta a la necesidad de *oír*, *entender* y *acompañar* a las personas en su trayectoria vital, que incluye el sufrimiento del cual necesitan recobrarse y liberarse. La incapacidad de oír y entender la profundidad del dolor humano da lugar a respuestas superficiales e irresponsables y la ausencia de un sentido de compasión genuina hacia quienes se acercan a la iglesia como comunidad restauradora. Las palabras de Dietrich Bonhoffer nos ayudan a ilustrar este punto:

> «Mucha gente busca alguien que le escuche y no lo encuentra entre los cristianos, porque estos se ponen a hablar incluso cuando deberían escuchar. Ahora bien, aquel que ya no sabe escuchar a sus hermanos (sic), pronto será incapaz de escuchar a Dios... El que no sabe escuchar detenida y pacientemente a los otros hablará siempre al margen de los problemas y, al fin, ni se dará cuenta de ello».[6]

Estas palabras nos invitan a centrar nuestra atención en aquellas personas que buscan ayuda, respaldo y comprensión de parte del liderazgo en las comunidades de fe. Toda persona que busca ayuda ya sea espiritual, política, social, económica, emocional o psicológica, viene con la esperanza de que va a ser escuchada y respetada por quienes le brindan ayuda. No solo esto se refiere a la persona o familia sino que presenta un reto a la comunidad de fe a escuchar detenidamente y sin prejuicios al clamor y dolor de personas que se enfrentan a un sinfín de problemas complejos.

Una razón fundamental en el desarrollo de una teología del cuidado pastoral es la compresión del ser humano, sus necesidades y de su autodefinición. Nos imaginamos que para el pueblo esclavizado una pregunta que debe haberse hecho en repetidas ocasiones se relacionaba con su identidad de «pueblo escogido». Su condición de esclavo era la antítesis de su identidad como pueblo de Dios. Esta discordancia pesaba sobre su espíritu quebrantado ya que muchos se preguntarían dónde estaba Dios en medio de sus sufrimientos.

El ministerio del cuidado pastoral en general debe tener presente las condiciones sociales y espirituales de las personas a las cuales sirven. Las experiencias y la historia de los pueblos, las comunidades y las familias son realidades de mucho peso en la definición del ser humano, las cuales contribuyen al crecimiento de los valores espirituales y teológicos que orientan sus vidas e influyen sus acciones personales y sociales.

El psicólogo pastoral Jorge A. León, en su libro *Psicología pastoral para todos los cristianos,* confirma la importancia de lo que él denomina «herencia social»: «Todo ser humano nace en medio de una cultura, pertenece a una etnia determinada y se le educa según los usos y costumbres de la cultura en la que ha nacido».[7]

Con un razonamiento semejante David Maldonado Jr., resalta la importancia de tomar la identidad y el país de origen como punto de referencia para las formulaciones teológicas ya que éstas influyen nuestro sentido de identidad e incluso nuestra relación con Dios, con nosotros mismos y con la sociedad en general. Él continúa su argumento de cómo afecta al pueblo hispano el hecho de vivir en dos culturas y las encrucijadas que esto presenta. El pueblo hebreo también tuvo que enfrentar esta realidad social y las implicaciones de la esclavitud física sobre su fe.[8]

Tanto en el campo teológico como en cualquier otra disciplina o en las ciencias sociales, el conocimiento del ser humano no se da en un vacío, sino que es el resultado de las experiencias significativas presentes de la formación física, espiritual y emocional de la persona y su medio ambiente. En su libro *Aculturación y Biculturalismo*, los autores J. Szapocznick y W. Kurtines expresan la necesidad de que las personas sean valoradas teniendo en cuenta la familia de origen y por el grupo cultural al que pertenecen. La definición y el amor propio se ven afectadas por la percepción que la persona tiene de sí misma y por grupos externos con los que se relacionan.

Anteriormente me he referido al hecho de que una teología del cuidado pastoral cuenta con dos plataformas de lanzamiento. Una compuesta por las experiencias formuladas y vividas por el pueblo del Antiguo Testamento; la otra se recoge en el Nuevo Testamento y se basa en la vida y ministerio de Jesús.

Por ejemplo, cuando Jesús se detiene a conversar con la mujer samaritana y le pide de beber, está rompiendo todos los esquemas y códigos sociales y religiosos que prohibían a un hombre hablar con una mujer en público. Él le pide ayuda para saciar su sed. Con su conducta quebranta lo establecido, Jesús libera la tradición y la religión de un prejuicio que deshumanizaba a una persona valiosa de la comunidad y de hecho a todas las mujeres. Nosotros la conocemos como la primera evangelista (Juan 4:5-21).

El ministerio de Jesús fue un constante reto, y si se quiere, «la espina en la carne» de su propia religión. Él favorecía al ser humano antes que a la dogmática religiosa. Vimos en el párrafo anterior su relación con la mujer samaritana, recordamos cómo se dejó ungir por otra mujer antes de su muerte, y aunque podamos racionalizar esta acción desde una perspectiva mesiánica, étnica y espiritual, es imposible negar que esta unción fue un acto de amor y en cierta medida seductor dentro de las relaciones de un hombre y una mujer. Este acto provocó críticas de algunas de las personas presentes. La lógica usada para restar importancia de ese acto fue completamente rechazada por el propio Jesús.

En el Evangelio según San Marcos (2:1-12), Jesús es criticado por perdonar el pecado del hombre que sus amigos bajaron por el techo de una casa para cerciorarse de que Jesús les haría un milagro. De nuevo Jesús opta por responder con amor y compasión ante el esfuerzo de quienes se preocupan por las personas marginadas y olvidadas de la sociedad. En el marco religioso de aquel entonces, las personas enfermas eran el resultado de un pecado, ya fuera suyo o de uno de sus antepasados. Jesús, que entiende esta interpretación religiosa, procede a perdonar los pecados del paralítico, y luego va más allá y le pide que tome su lecho y ande. Éste es un ejemplo de que todo acto de sanidad, trae simultáneamente una investidura de poder y capacitación para que la persona pueda obtener la plenitud de vida y gozar de una autosuficiencia que antes no había experimentado.

Este relato muestra varios aspectos que deben existir dentro de una teología del cuidado pastoral. El primero es la aceptación de medios no convencionales por los cuales la gente busca ayuda y esperanza. El romper el techo de una casa ajena no es necesariamente algo que los dueños apreciarían. Jesús entiende que para que este hombre pueda levantarse de su lecho es necesario que sienta que todo cambio en su situación debe reflejar el concepto religioso de su tiempo, que aseguraba que las enfermedades eran el resultado directo de pecados propios o hasta de una tercera generación anterior. Esto tenía que reconocerse antes de asumir que hubiera sanidad, liberación y un sentido de autodeterminación que le permitiera tomar responsabilidades por su propia vida y bienestar.

Hemos planteado brevemente que tanto en el Antiguo Testamento como en el Nuevo, se ofrece un fundamento sólido sobre el cual la teología del cuidado pastoral descanse; hemos enfatizado la necesidad de exponer un modelo que reúna todos los aspectos que conciernen a la persona y sus implicaciones teológicas al igual que para nuestra comprensión del ser humano. Este modelo respeta y celebra nuestra cultura, acentúa nuestra identidad y acepta las realidades sociales y espirituales.

Como líderes congregacionales, se nos enseñó a seguir las teologías eurocéntricas, individualistas y divorciadas de las realidades contextuales. Esas teologías no constituyen el cimiento adecuado sobre el cual se edifica un cuidado pastoral responsable. Como hispanos/latinos estamos conscientes de las realidades de nuestros pueblos y de la marginación y la pobreza, el sexismo, el machismo y otras actitudes represivas. Estas condiciones crean y agudizan conflictos internos de índole emocional, espiritual y psicológico. Es imposible que un ser humano pueda sentirse creado a la imagen de Dios cuando no se le respeta y se le usa y abusa, independientemente de quienes cometen estos hechos.

La teología del cuidado pastoral se arraiga en el concepto liberador de Dios y en el ministerio educativo, de restauración y estímulo que Jesús nos presenta. Esta teología incluye un aspecto profético, ya que no podemos omitir la necesidad de transformar sistemas e individuos opresivos. Como parte de esta teología, es esencial el desarrollo de comunidades de fe que estén dispuestas a hablar por aquellas personas que sufren a causa de la deshumanización generada por las «esclavitudes» de nuestro tiempo y por quienes no pueden hacerse oír de sus opresores.

Por ejemplo, la responsabilidad moral, espiritual y ética de la iglesia es enfrentar y claramente declarar que la violencia doméstica constituye un crimen. Ésta es una tragedia que ha causado dolor a millones de mujeres y sus familias.

La violencia doméstica es un problema social, político, cultural y espiritual. El silencio ha reinado en nuestras congregaciones cuando bien sabemos que tanto las víctimas como sus victimarios tienen asientos en ellas. Marie Fortune y sus colegas han hecho una contribución muy positiva en esta área. En la bibliografía hemos incluido sus libros que son valiosísimos para entender y manejar casos de violencia doméstica.

El aspecto educativo de la teología del cuidado pastoral acrecienta nuestra experiencia de Dios, del mundo y de las personas a las que servimos. Eldin Villafañe hace eco de las palabras del profesor Otto Maduro en su libro *El Espíritu Liberador: Hacia una ética social pentecostal hispanoamericana*. Estas ideas que se refieren específicamente a la religión, pueden también aplicarse a otras funciones y en la vida de la iglesia y sus diversos ministerios:

> «Ninguna religión existe en el vacío. Toda religión, cualquiera sea, no importa lo que podamos entender por "religión" es una realidad situada, situada en un contexto humano, especifico, un espacio concreto y determinado geográficamente, un momento histórico y medio social».[9]

Un ministerio de cuidado pastoral que rechace el concepto de una «realidad situada» y piense que se puede responder a las necesidades de nuestros pueblos en un vacío, estará sencillamente ocupándose en una tarea superficial y que en algunos casos, puede tener resultados negativos y hasta dañinos a quienes se trata de servir.

Fundamentos e imágenes bíblicas del ministerio del cuidado pastoral

Quizás uno de los ejemplos clásicos del cuidado pastoral bíblico es el encuentro de Jesús con los ciegos que estaban sentados junto al camino. Estos ciegos le gritaron diciéndole: «Jesús, hijo de David, ten misericordia de nosotros».[10] El relato bíblico nos cuenta que cuando Jesús se detiene, lo hace para prestarle atención a estos hombres que perseveraron hasta su encuentro con él. Jesús no da por sentado ni presume de saber lo que estos hombres necesitan. Jesús entabla una conversación con ellos y les hace la siguiente pregunta: «¿Qué quieren que haga por ustedes? Esta respuesta de Jesús representa el verdadero espíritu y la naturaleza del cuidado pastoral. Este encuentro refleja, sin lugar a duda, el respeto por la dignidad de las personas y, a la vez, valora y respeta la decisión de estos ciegos de pedir lo que necesitaban y no lo que parecía obvio.

Es de suma importancia resaltar dos acciones adicionales a la pregunta y concentrarse en este encuentro pastoral. Primero, Jesús se *detiene* y establece aunque momentáneamente, una conexión con los ciegos que le permite enfocarse solamente en ellos. Todo alrededor de los protagonistas de este encuentro queda prácticamente inerte y establecen una relación mutua en la cual la restauración integral de ambos toma lugar.

En segundo lugar el texto bíblico nos recuerda que Jesús «tuvo compasión» de los ciegos. El ministerio del cuidado pastoral debe evidenciar señales de compasión auténtica. En el ofrecimiento del cuidado pastoral no caben otras agendas personales, ni siquiera religiosas. El objetivo es el de detenernos frente a personas que sufren y preguntarles lo que necesitan y cómo podemos responder a sus necesidades. Jesús no estaba tratando de «ganar su alma», ni pretendía educar o predicarles el evangelio a estos ciegos. Jesús sencillamente estableció una relación genuina, de mutuo respeto y compasión con ellos, y es ahí cuando el milagro de la restauración tiene lugar. Este relato es básico para el ministerio del cuidado pastoral.

La parábola del Buen Samaritano es otro ejemplo del énfasis que Jesús pone al señalar la importancia de una *compasión* que se expresa en acciones restauradoras que responden al ser humano en sus necesidades físicas, sociales, espirituales y sociales. Es de suma importancia ver que en este ejemplo Jesús nos presenta que todo ser humano tiene la capacidad de compadecerse de quienes sufren y que, por consiguiente, el cuidado pastoral no se limita a un grupo religioso en particular. Donald Messer se refiere a la «*compasión* como el meollo de una nueva espiritualidad que puede transformar a la iglesia y al mundo, y añade que dicha compasión es un verbo, un acto de amor y justicia, una forma de vida».[11]

Es importante añadir a esta discusión unas líneas referentes al profundo y complejo significado de la compasión (*hesed*). La palabra compasión es muchas veces traducida como misericordia, piedad o lástima, Los eruditos convienen en lo difícil que es traducir *hesed,* la palabra hebrea que indica estar en disposición de «sufrir con». «La compasión es la capacidad fatal de sentir lo que es estar en el cuerpo de otra persona».[12]

Esta palabra también conlleva el concepto de «justicia». El ministerio de Jesús es un ejemplo específico de lo que abarca ese concepto. Las acciones de Jesús son un testimonio palpable del significado de *hesed.* A través de sus enseñanzas Jesús transcendió las limitaciones de la cultura y la religión de su tiempo e incorpora la justicia de Dios.

Los fundamentos teológicos del cuidado pastoral incluyen la aceptación (Tillich)[13] de quienes vienen en busca de ayuda y apoyo, la gracia ilimitada de Dios definida por Gerald May como «la expresión activa del amor de Dios».[14] El libre albedrío, regalo de Dios que nos permite ejercer nuestra autodeterminación aun cuando sus resultados sean contrarios a lo que percibimos como la voluntad de Dios. A través de las páginas de este libro estaremos resaltando la riqueza teológica y bíblica que sirven de fundamento para este ministerio fundamental en la vida y desarrollo congregacionales.

Toda acción efectuada a favor de quienes servimos, debe ser una expresión concreta de nuestra espiritualidad, de nuestra relación con Dios. Tales acciones son el resultado de las interpretaciones y reflexiones bíblicas y teológicas que informan y motivan nuestras funciones. Podemos decir que este ministerio es un ejemplo de lo que entiendo como *«la encarnación de nuestra espiritualidad».*

Hacia un diálogo mutuo: teología y ciencias sociales

Al tomar en cuenta las implicaciones socioculturales en el ministerio del cuidado pastoral, me referiré una vez más al trabajo y experiencia de Jorge A. León, para enfatizar y afianzar este argumento de tomar en serio la necesidad de incorporar las ciencias sociales a cualquier discusión teológica y bíblica, así como a la práctica de las funciones ministeriales.

> «El ser humano es demasiado complejo para ser estudiado solo desde un punto de vista teológico. La revelación divina es suficiente, pero no es exhaustiva. Por eso, el cristiano debe tener en cuenta toda la información que le ofrecen las ciencias humanas. El conocimiento del ser humano, para el cristiano, no es un fin en sí mismo, sino un medio para crecer y servir».[15]

El cuidado pastoral es contextual y acentúa la necesidad de tomar muy en serio las perspectivas culturales, sociales y religiosas de quienes servimos e igualmente es importante recordar que «en la Biblia judía se aprecian todos los aspectos de las personas, no sólo su mente o su espíritu, como creados a la imagen divina».[16]

El siguiente ejemplo nos ayuda a elucidar este punto. Me referiré a esta familia como los Pineda-Valdez (nombre ficticio). La familia Pineda-Valdez está compuesta por el matrimonio, Ana y Ramón con un hijo, Alberto, de quince años quien participa en el grupo juvenil de la congregación; la hija (Gabriela), de trece años, participa también en las actividades de la iglesia a la que la familia pertenece. El padre y la madre tienen que trabajar ya que ambos solo ganan el mínimo y no tiene seguro médico.

Dos semanas atrás una llamada de emergencia al trabajo de la madre (Ana) la hizo correr al hospital en el cual Alberto había sido internado con serias heridas ocasionadas por un grupo de pandilleros con los cuales él había rehusado relacionarse, ya que los mismos vendían y usaban drogas. Los padres además de la preocupación por las graves heridas de su hijo, ahora se veían endeudados con el hospital y temerosos que les deportaran si la administración del hospital se enteraba que eran inmigrantes ilegales.

Esta familia vive en un barrio en que las drogas, los delitos y escuelas conflictivas constituyen un problema para todos los vecinos. No hay suficiente protección policíaca. La familia Pineda-Valdez ha tratado de mudarse y ofrecerles un mejor ambiente a sus hijos pero, no hablar inglés y carecer de una profesión u oficio limitaba sus posibilidades de encontrar un empleo que proporcione los ingresos necesarios para su sostén y para ayudar a familiares suyos en el Ecuador, a los que mensualmente les envían una remesa pues no cuentan con medios de subsistencia.

Otras complicaciones plagan a esta familia. Alberto tendrá que recibir fisioterapia debido a sus heridas; Ana tendrá que dejar el trabajo por unas semanas para cuidar de su hijo ya que no tienen familia en los Estados Unidos que les ayude. El padre se siente deprimido y aun abandonado por Dios a quien rogó tanto por ayuda. Ramón cree que Dios lo ha castigado por haber cambiado su religión poco después de llegar a Nueva York. «Sus sueños de emigrar y hacer una nueva vida para su familia ahora se habían convertido en una pesadilla».[17]

El cuidado pastoral responsable trata de entender las dinámicas sociales, emocionales, físicas y religiosas de nuestra gente. Por ejemplo la sociología nos enseña dinámicas existentes en las relaciones entre los seres humanos y la sociedad y se convierte en una aliada en el reconocimiento del problema al que se enfrentan la familia Pineda-Valdez. La complejidad de este problema y su resolución no se pueden atribuir estrictamente a una realidad espiritual. En un contexto social donde las drogas, el desempleo y el crimen son parte de la experiencia humana, el cuidado pastoral a esta familia debe incluir las posibilidades de orientarlos para que se conecten con instituciones sociales que les presten servicios adecuados a sus necesidades y que al mismo tiempo les ofrezca guía y respaldo espiritual a la familia o individuo en crisis.

A continuación se ofrecen sugerencias tocantes al papel de la iglesia o comunidades en casos como el que acabamos de presentar:

1. Identificar recursos sociales y comunitarios adecuados para remitir a los miembros de esta familia a donde se les facilite la posibilidad de recibir asistencia profesional. Debido a la multiplicidad de sus problemas es posible que se necesite la colaboración de varias organizaciones. Todas pueden trabajar cooperativamente con la iglesia en el proceso de apoyo y restauración.
2. Respaldo a todos los miembros de la familia a través de los sacramentos, rituales, meditaciones, lecturas bíblicas o de textos religiosos, oraciones, etc. que son parte integrante de las distintas denominaciones y grupos religiosos. Es menester respetar los límites religiosos y las expresiones espirituales de las personas en crisis. En el caso de un individuo o de una familia que no sea de la congregación, es importante evitar pensar que la ayuda que se ofrece no sea una «oportunidad para convertirla».
3. El apoyo congregacional compasivo es de suprema importancia ya que esto indica que la iglesia es en realidad una comunidad restauradora, especialmente en el caso de inmigrantes o personas de la tercera edad quienes no siempre tienen familias que le ofrezcan sostén emocional y espiritual.
4. Toda congregación o líder debe tener mucho cuidado de no juzgar o tomar a la ligera o descartar las situaciones difíciles por las que atraviesan. El respeto al dolor, la confusión, etc. que una persona esta atravesando debe tomarse muy en serio y evitar conjeturas o de restarles importancia a estas emociones y conducta.
5. Tener cuidado de cómo se interpretan las Escrituras, dogmas y teologías a las cuales nos suscribimos. En nuestro afán de ayudar, muchas veces usamos estos textos sagrados para racionalizar o

negar las realidades dolorosas por las que atraviesan algunas personas o incluso culparlas por su propia desgracia.

6. Confidencialidad. Este tópico es de gran trascendencia y debe así entenderlo el liderazgo de la congregación. Es necesario recalcar que confidencialidad o discreción no es lo mismo que guardar un «secreto». Hablaremos más de este tópico cuando tratemos del suicidio y de la violencia doméstica.
7. Mantener presente la ética ministerial y las implicaciones legales a que la iglesia está sujeta como institución social. Hablaremos más sobre este tema en el capitulo cinco.
8. Ser realista. Las iglesias y comunidades de fe han de reconocer sus posibilidades y limitaciones tocantes a lo que pueden ofrecer a sus feligreses. El ministerio del cuidado pastoral tiene como fin fomentar el crecimiento, desarrollo y capacidades de la persona en todos los aspectos de la vida. NO HACER DAÑO se aplica tanto al ministerio como a la medicina u otra expresión vocacional que sirve al ser humano.

Esta lista no es exhaustiva, otras sugerencias se ofrecerán en otros capítulos en los cuales se presentan situaciones que surgen en el seno de las congregaciones.

La antropología:

La antropología facilita la comprensión del espíritu cultural que distingue un pueblo así como las características cognoscitivas, emocionales e intelectuales de dicha cultura. No me refiero a estereotipos, sino al proceso de apreciar la universalidad y particularidad de los valores culturales. Por ejemplo, sabemos que para las personas hispanohablante, el concepto de *familismo, personalismo* y las fiestas son de gran importancia. La creación de realidades sociales, espirituales y culturales son parte de esta ciencia y por tanto la comprensión de estos conceptos facilita el entender la importancia que estos conceptos desempeñan en la cultura y subculturas hispanas.

En su libro *Cultural Anthropology,* Richard H. Robbins propone que para entender las situaciones de otras culturas y grupos sociales es indispensable hacer preguntas fundamentales como punto de partida para cualquier esfuerzo serio y el modo de entender a otras personas, sus creencias y de valorar todo lo que les rodea ya sea material, espiritual y cultural. A continuación un ejemplo de dichas preguntas:[18]

1. ¿Por qué los seres humanos difieren en sus creencias y comportamiento?
2. ¿Cómo es que la gente juzga las creencias y la conducta de otras personas?
3. ¿Es posible ver el mundo a través de los ojos de otra gente?
4. ¿En qué forma se puede describir o interpretar lo que es significativo en la vida de otras personas?

Las preguntas anteriores son de gran valor ya que no debemos asumir que nuestros valores, creencias, rituales y experiencias son las únicas que tienen significado o las únicas actitudes que tienen importancia o trascendencia en este mundo complejo en el que vivimos. Existe dentro de nuestras iglesias así como en nuestros grupos étnicos y culturales el peligro que, a menos que intencionalmente nos hagamos preguntas como las expuestas, terminemos siendo arrogantes y etnocentristas, dos cualidades que tanto hemos criticado cuando somos el objeto de tales actitudes dentro de grupos mayoritarios o diferentes religiones o culturas.

En su libro *El Espíritu Liberador,* Eldin Villafañe, hace un valioso aporte a la discusión de la importancia de la antropología y sociología y particularmente en nuestro contexto hispano:

> «El concepto de "persona en comunidad" define la realidad del hispano (sic). Es una realidad social que ve a las personas como criaturas sociales. Por consiguiente, su compresión de la "naturaleza humana" es tal que coloca a la sociedad como producto y como productora de personas, representando así una perspectiva dialéctica antropológica».[19]

Existe una rama de la antropología a la que se refiere como teología antropológica y que «estudia al ser humano como criatura, como pecador y por último como criatura redimida. El estudio de la teología antropológica enfatiza la realidad humana y su relación con la realidad divina».[20] Ambas disciplinas contribuyen a valorar al ser humano.

El ser humano es el producto de una sociedad, y la sociedad se ve afectada por las acciones humanas, el idioma y sus metáforas, los valores y símbolos religiosos y culturales entre otros; por tanto, no podemos omitir ni la antropología ni sociología ni la psicología si es que vamos a responder responsablemente a las necesidades del ser humano aun dentro de nuestras comunidades de fe. Entre los dones de Dios existe la capacidad de analizar críticamente el medio ambiente en el cual la persona crece y en el cual ha sido formada.

La sociología:

La sociología nos enseña cuan sujetas están nuestras iglesias al comportamiento social e imitan a la sociedad. Dentro de la iglesia cristiana se nos olvida frecuentemente de qué manera Jesús redimió y transformó la sociedad y no permitió que ésta influyera en su ministerio. El encuentro con la mujer samaritana, su visita al hogar de Zaqueo, su posición a favor de los pobres, sus parábolas en las que resalta la compasión del samaritano, fueron en efecto una afrenta para las estructuras sociales.

Por ejemplo, en una sociedad opresiva, elitista y dominante; en una sociedad en la cual la mujer es vista como un objeto para ser dominado y conquistado, ésta nunca podrá obtener los beneficios y responsabilidades que disfrutan los hombres de dichas iglesia, quienes reflejan esa opresión en las mujeres de la congregación. Lo triste del caso es que se usan argumentos teológicos que justifican tal opresión. Lo interesante es que tales argumentos no reflejan la compasión y el sentido de justicia de los evangelios ni del propio Jesús a quien decimos imitar.

No nos gusta pensar que nuestra actitud hacia la iglesia y la fe esté influida considerablemente por nuestro contexto social; sin embargo, cuando entramos en nuestras comunidades de fe por primera vez, entramos ya socializados debido a lo que hemos aprendido y experimentado dentro del hogar en el que nacimos, nuestra familia y nuestro país de origen.

¿Cuáles son las implicaciones de esta realidad? En primer lugar, esto se refiere a las experiencias recibidas, las que han dejado su marca en la vida de cada persona. En segundo lugar, tiene que ver con la manera que percibimos al mundo, algo que hacemos a través de los lentes graduados por las experiencias sociales. No olvidemos que la sociología nos ayuda a entender cómo el ser humano se comporta en grupo y como los grupos forman e influyen en el desarrollo de la persona.

Las prácticas religiosas también se ven influidas por nuestro medio ambiente. ¿Ha pensado alguna vez por qué usted se ha unido a una denominación en particular, en la que se siente a gusto por la forma en que usted adora?

- Piense detenidamente en lo que le hizo a usted elegir la iglesia a la que se ha afiliado
- ¿Qué impresión le produjeron la feligresía de esa iglesia y su liderazgo?
- Su atracción a los ministerios y programación de dicha congregación

Algunas respuestas quizás serían como las que siguen:

- Es la iglesia en la que hemos encontramos a Dios.
- Estaba cerca de mi hogar, etc.
- El horario es perfecto para la familia

Les aseguro que si cada lector o lectora profundiza y analiza su decisión de unirse a una comunidad de fe, va a descubrir que además de la teología, patrones de adoración y la celebración de los sacramentos, también existen otros factores y realidades sociológicas que le hicieron unirse a esa denominación o iglesia en particular.

Ofrezco un ejemplo de alguien a quien conozco muy bien. Esta persona creció en un hogar amoroso y en el cual la interdependencia de sus miembros era la norma y en el cual se esperaba que cada persona expresara sus pensamientos libremente, aun cuando éstos no siempre coincidieran con los otros miembros de la familia, incluyendo los adultos. Sus experiencias en otras instituciones sociales fueron muy semejantes. Esta persona nunca podrá participar en una comunidad de fe en la cual la libre expresión de ideas, la creatividad y la autonomía no se permitan. Su espíritu indómito, su forma de pensar y expresar sus pensamientos; su estilo de liderazgo, que es inclusivo y amplio, no sería aceptado en algunas comunidades de fe. Esta persona de fe profunda debe buscar una iglesia en la cual sus dones y talentos puedan ser celebrados y apreciados por el liderazgo denominacional.

Es muy interesante ver en congregaciones en las cuales viven varios grupos étnicos, cómo surgen conflictos debido a las experiencias y realidades sociales a las que fueron expuestos desde el momento de su nacimiento. Aun dentro de una iglesia en la cual la congregación es monolítica, he visto a nuevos inmigrantes entrar en conflictos debido a las distintas formas de adoración que han encontrado en su misma denominación pero procedentes de un país distinto. Esto también sucede cuando una familia o individuo se muda de un área rural a la ciudad o viceversa.

He aquí un segundo ejemplo de cómo la sociología contribuye a nuestra comprensión teológica y bíblica. Cuando leemos las Escrituras lo hacemos con lentes culturales, es decir, como inmigrantes, como hispanos/latinos, como pobres, como ricos, como personas con o sin educación formal, como mujeres, como hombres, etc. En los tomos del *Interpreter's Bible*, encontramos que este recurso esencial para quienes toman en serio la preparación de sermones y de estudios bíblicos, hace énfasis en que lectores tomen en consideración los aspectos sociológicos y antropológicos. Este comentario bíblico refleja la importancia de un análisis crítico de los factores sociológicos y sus implicaciones para el estudio bíblico y la reflexión teológica y, por consiguiente, en el terreno del cuidado pastoral.

El cuidado pastoral responde de manera integral a personas o familias que buscan ayuda para sus problemas. Por lo tanto, la iglesia debe prestar especial atención a las consideraciones sociológicas de sus feligreses. Cultura, familia, inmigración, desempleo, racismo, etc. contribuyen a la salud de la feligresía, o a los problemas que surgen dentro de la congregación. Negar esta realidad será el equivalente a ignorar un aspecto básico contextual tanto personal como congregacional.

En su libro, *The Social Context of Pastoral Care,* George M. Furniss nos recuerda que «una de las metas del ministerio del cuidado pastoral es asistir a individuos y grupos a identificar y erróneamente buscar soluciones a los problemas y dificultades por las cuales atraviesan. Una religión enfermiza contribuye a que las personas definan su situación y busquen ayuda inadecuada para sus problemas».[21]

El ministerio del cuidado pastoral integral fomenta iglesias saludables, en las cuales se les brinde a los feligreses la oportunidad de crecer a través de un análisis realista de las causas de sus problemas y se les facilite una variedad de recursos apropiados para la resolución de conflictos. Las ciencias sociales y la fe no son enemigas, ambas se fusionan al ofrecer no sólo la oportunidad de ayudar y al crecimiento individual, sino también de ser investido de poder para cambiar la situación personal y también facilitando la oportunidad de contribuir a cambiar las estructuras sociales asfixiantes y deshumanizante.

La psicología:

Existe otra avenida para entender la complejidad humana. Me refiero a los avances en el campo de la psicología y a la necesidad del liderazgo de tener ciertos conocimientos básicos respecto a la formación, desarrollo y el crecimiento emocional y psicológico de la persona. Por ejemplo, Erik Erickson, ha hecho contribuciones monumentales que asisten a los padres y al liderazgo congregacional a entender las crisis y tareas apropiadas en cada etapa de la vida. De ahí surge el trabajo de James Fowler, tocante a cómo se desarrolla la fe en cada etapa del desarrollo humano.

El significado de las palabras «psicoterapia y psiquiatra tienen el mismo significado etimológico, a saber, cuidado de las almas. Psicoterapia viene de *psique*, que significa "alma", "vida" y de *terapia*, que significa "cuidar, hacer un servicio". El significado más conocido de este verbo griego es curar, aunque servir es el primer significado».[22] La teología y la psicología no tienen que ser enemigas, al contrario, ambas hacen contribuciones significativas y las funciones que pastores y psicólogos.

Actualmente, la psicología se ocupa de los factores sociales, culturales y espirituales ya que éstos tienen implicaciones reales en el diagnóstico de personas que presentan problemas psicológicos y emocionales, los cuales influyen en el tratamiento apropiado para esas enfermedades. No solo se le presta atención a los factores sociológicos influyentes en el tratamiento de personas hispanohablantes, sino que dentro del campo psicológico, tanto la espiritualidad como los problemas sociológicos se están tomando muy en serio y de hecho incorporándose en presentaciones clínicas y académicas dentro de esta disciplina.

Es triste oír a personas negar vehementemente las contribuciones hechas por la psicología, y de hecho la psiquiatría, al bienestar y restauración de individuos que padecen de serias condiciones emocionales y mentales. Estudiosos de la psicología confirman que una religión saludable tiene un impacto positivo y ofrece mecanismos apropiados al enfrentar dificultades y cambios drásticos en la vida. Aun en la sociedad postmoderna con todos los estudios y ensayos realizados, un estigma sigue asociado a las enfermedades mentales y emocionales.

Lo triste es que la utilización de conceptos teológicos rígidos y limitados niega la efectividad de un buen diagnóstico y de tratamiento psicológico eficaz de muchas enfermedades y trastornos psíquicos. Éstos incluyen la depresión clínica de que padecen más de treinta millones de personas en este país y afecta a un sinnúmero de feligreses que sufren de depresión debido al gran temor de que se le catalogue como personas de poca fe.

¿Por qué limitamos a Dios en el campo de la restauración emocional, psíquica y aun física? He oído a lideres religiosos desalentar a sus feligreses a no tomar medicinas psicotrópicas o a entrar en un proceso terapéutico en el cual una persona o familias enteras pueden encontrar salud y esperanza. Esta actitud no solo se basa en la ignorancia sino que es irresponsable y aun pecaminosa, ya que le impide a un ser humano vivir la vida en la plenitud de la cual Jesús nos habla en Juan 10:10.

En mi oficina de consejería he visto a muchas personas que me han confiado que me vienen a ver a espaldas del pastor o pastora de su iglesia, ya que éstos le reprocharían tal decisión. En una ocasión alguien me vino a ver y me pidió si podía cerrar la puerta ya que quería decirme algo en confianza. Esta persona en voz muy baja me confió lo siguiente: «Por favor no le digas a nadie esto, me estoy sintiendo muy bien desde que me recetaron Zoloft y me ha estabilizado». Me dio mucha tristeza que una mujer de su edad, responsable y haciendo un gran trabajo dentro de su comunidad de fe, tuviera que actuar como una niña pequeña atemorizada debido a la ignorancia de su líder espiritual.

> «Para entrevistar al hombre (sic) en la cura de almas, hace falta en el preámbulo conocer al hombre (sic). La cura de almas se servirá pues de la psicología como una ciencia auxiliar que permita explicar la naturaleza interior del hombre y adquirir su conocimiento».[23]

Hoy en día se sabe que hay factores químicos que producen enfermedades mentales; que el abuso de menores, especialmente a temprana edad, produce trastornos de la personalidad y cambios caracterológicos devastadores; se han encontrado medicinas efectivas en el tratamiento de depresiones, esquizofrenia y otras enfermedades. Todo esto es el resultado de un Dios que no limita los descubrimientos científicos a favor del ser humano que sufre. Esto no nos debe extrañar ya que Jesús nos demostró claramente que Dios en su amor y por las obras vividamente destacadas en su ministerio va más allá de la dogmática y los patrones religiosos, así como de las expectativas culturales o sociales.

En ocasiones creemos que tenemos que defender la omnipotencia de Dios y sus obras. Tendemos a negar y hasta cierto punto resistir la amplitud y el alcance de la ciencia que Dios utiliza para efectuar la restauración integral del ser humano. Enmarcamos a Dios dentro de un cuadro limitado por nuestros conocimientos, teologías y dogmas religiosos reduccionistas. Esta actitud y comportamiento son contingentes a nuestra experiencia y definición de Dios. Dentro de mi manera de pensar estimo que tal actitud refleja y de hecho puede interpretarse como una manifestación de idolatría y arrogancia espiritual, enfermedad común de muchas comunidades religiosas y de un liderazgo inseguro, altanero y realmente simplista.

Paradójicamente, la resistencia a entablar un dialogo interdisciplinario con estas ciencias sociales contradicen directa o indirectamente la omnipotencia de Dios de la que tanto predicamos y que es central en discusiones teológicas y el fundamento sobre el que descansa la fe cristiana. Tal acción consciente o inconscientemente limita las obras del Eterno. El ser humano nunca llegará a entender la mente y las acciones de Dios, pero sí puede celebrar las muchas expresiones de su amor cuando éstas favorecen y restauran de manera integral a la humanidad mediante la oración, medicamentos o terapias restauradoras.

A veces se creo que es más fácil seguir y promover una religión sensacionalista y en la cual se nos diga cómo pensar, creer y actuar, que vivir una fe amplia, que fomente la libertad e invista de poder a sus seguidores, aun cuando ese poder implique tomar medicamentos o participar en tratamientos serios que le ayuden a crecer y a enfrentar trágicas experiencias del pasado, que no le permiten disfrutar la vida a plenitud. Las Escrituras tanto del Antiguo como del Nuevo Testamento describen una gran diversidad de las acciones sanadoras de Dios.

Unos meses atrás estaba trabajando en un documento y me encontré con una frase de Platón que me hizo pensar en una realidad humana: «Podemos fácilmente perdonar a un niño que le teme a la oscuridad; la real tragedia de la vida es cuando adultos le temen a luz».[24] Si no dialogamos con otras disciplinas, viviremos en la oscuridad. Una realidad trágica es que la ignorancia le roba al ser humano su dignidad. Una de las funciones de la iglesia es la de interpretar la sociedad y la cultura en que los feligreses operan. Esta interpretación no es superficial, por el contrario, exige la educación teológica, bíblica y las contribuciones sociológicas, psicológicas, antropológicas, etc.

Es necesario recordar que la educación integral para el ministerio no va en contra de las doctrinas que enseñan o hacen énfasis en la necesidad de recibir la inspiración de Dios o su dirección para orientar y traer salud a su pueblo. De hecho, en el pensamiento del pueblo hebreo no cabe ninguna duda que tanto el cuerpo como el espíritu o alma (el alma es referida en griego como la psique) son creados por

Dios. «El alma y el cuerpo deben funcionar en armonía para cumplir el propósito de Dios».[25]

Teología del cuidado pastoral e implicaciones socioculturales:

En su libro *Dignidad,* el profesor Ismael García nos recuerda que «los hispanos arraigados como están a convicciones religiosas, no conciben a Dios primordialmente como un concepto filosófico, sino a través de un lenguaje e imágenes que son reflejos de relaciones interpersonales. Nuestro vocabulario refleja nuestra religiosidad mediante frases que incluyen a Dios como "que Dios te bendiga", "que sea la voluntad de Dios" en nuestra vida diaria. Nos expresamos de una manera que demuestra nuestro sentido de la presencia constante de Dios en nuestras vidas».[26] Dentro de este marco cultural y social existen las experiencias de opresión social, política, cultural y religiosa. Al considerar una teología del cuidado pastoral es preciso no omitir dichos factores.

Ninguna teología responsable ignora el contexto social, ni tampoco surge de un vacío. Las expresiones y reflexiones teológicas nacen de las experiencias contextuales de los seres humanos y su interpretación en relación a Dios, los valores y símbolos espirituales a los cuales se les asignan significados, y la interpretación comunitaria de lo que significa ser humano.

Un ejemplo obvio es el surgimiento de la Teología de la Liberación en América Latina que surge como expresión profética de esperanza para quienes son víctimas de sistemas opresivos. Quizás estas palabras de la Misa popular salvadoreña sirvan para ilustrar este punto: «Señor la injusticia nos duele y oprime, ponte a nuestro lado, somos los humildes».[27]

La teología hispana/latina se nutre de las implicaciones prácticas de la vida cotidiana. En *Dignidad,* el autor, afirma que «nuestra teología es parcial y apasionada no porque somos hispanos (sic) sino porque creemos que el Dios de las Escrituras también es parcial y apasionado con los oprimidos».[28]

El desarrollo de una teología contextual del cuidado pastoral debe incluir las riquezas culturales que compartimos y valoramos. Todas estas riquezas influyen en la expresión de nuestra fe, de nuestra relación con Dios y su expresión teológica comunitaria.

Es indispensable que en toda expresión en el área ministerial el liderazgo entienda la cultura y su influencia en nuestra teología. En particular, el ministerio del cuidado pastoral exige ese conocimiento, especialmente en tiempo de conflictos y crisis. Solo podremos responder de manera responsable a personas que buscan nuestra ayuda si como lideres podemos apreciar la profundidad de la pérdida de lo que nuestro pueblo considera sagrado, la valoración de nuestros símbolos culturales y la deshumanización o el aislamiento de quienes sufren.

Resumen:

En este capítulo hemos incluido distintas áreas esenciales en la búsqueda y formulación de una definición teológica operativa del ministerio del cuidado pastoral. La teología que presentamos en este capítulo abarca a grandes rasgos los conceptos básicos que contribuyen al establecimiento de un fundamento sólido en la formación del liderazgo para este ministerio. Es imprescindible seguir integrando la reflexión teológica con la práctica, a la vez que se dialoga con las otras disciplinas que contribuyen a alcanzar un conocimiento amplio del ser humano y su conducta.

El propósito de esta discusión ha sido resaltar la necesidad de sentar bases sólidas sobre las cuales comenzar a responder a un pueblo sufriente que busca una esperanza dentro de sus comunidades de fe. A través de los temas presentados en cada capítulo de este libro nos referiremos a otras realidades teológicas y bíblicas pertinentes a cada tópico que presentamos, esperando de esa manera ampliar esta discusión inicial.

La teología del cuidado pastoral no es monolítica ni individualista, por el contrario se trata de una teología comunitaria y colectiva la cual toma seriamente los conocimientos, expresiones culturales y las experiencias contextuales del pueblo.

Como pueblo de Dios, las comunidades de fe han de comprometerse a fomentar la plenitud de vida, que es don de Dios a su pueblo. Es también un reto a seguir la responsabilidad y la participación en un proceso educativo y de formación espiritual e intelectual que le permita responder a quienes buscan en la iglesia una comunidad saludable y restauradora.

La necesidad de la reflexión teológica es fundamental si es que en realidad se busca facilitar «la vida en abundancia». Esto no es tarea fácil ni común en la vida presente de las congregaciones. De hecho, es una de las disciplinas y prácticas más difíciles tanto para individuos como comunidades. Es imposible crecer y madurar en la fe a menos que se aprenda a pensar en forma crítica, sobre todo ante situaciones complejas de la feligresía. En los capítulos que siguen ampliaremos las ideas y conceptos presentados mediante ejemplos y teorías valiosas en este campo pastoral.

Aplicaciones prácticas

1. Después de leer el primer capítulo del libro, usted decide formular su definición propia del ministerio del cuidado pastoral. Piense en lo que incluiría en su definición.

2. Usted es un líder congregacional y se le ha pedido que presente argumentos bíblicos y teológicos relacionados con este ministerio.
   - Usaría los siguientes textos bíblicos fundamentales en el entendimiento de este ministerio. Seguidamente piense en su decisión de incluir estos textos:

3. Usted es el pastor de una congregación en la que quiere desarrollar un grupo de líderes para trabajar en este ministerio. Hay agencias de servicio social que le han ofrecido ayuda ya que conocen la situación que muchas personas en la congregación confrontan.
   - Piense cómo se presentaría este nuevo ministerio en su iglesia o concilio.
   - Piense en las resistencias teológicas que pueden surgir en su congregación.
   - Resistencias de su denominación o concilio

4. Después de haber leído este capítulo, ¿Qué le resultó de beneficio para usted personalmente y como líder congregacional?

5. ¿Qué leyó usted en este capítulo que le hayan sido retos? Piense detenidamente en estos retos y como los mismos le ayuda a profundizar su teología y los fundamentos bíblicos de este ministerio.

6. Piense en las ciencias sociales y cómo éstas le han ayudado a:
   - Crecer en su vida personal.
   - Prepararse en el campo de cuidado pastoral.
   - Ampliar su visión e integrar dichos conocimientos en todos los aspectos de su ministerio.

«Pon todo tu celo en instruirte,
abre tus oídos a las palabras sabias».
Proverbios 23:12 (Biblia Latinoamericana)

Notas

[1] Clinebell, Howard, *Asesoramiento y cuidado pastoral* (Grand Rapids: Libros Desafío, 1995), 18.

[2] Pedraja, Luis G., *Teología: An Introduction to Hispanic Theology* (Nashville: Abingdon Press, 2003), 22.

[3] Woodward & Pattison, *The Blackwell Reader in Pastoral and Practical Theology*.(Great Britain: Blackwell Publishers, 2000).

[4] Clinebell, Howard, *Asesoramiento y cuidado pastoral* (Grand Rapids: Libros Desafío, 1995).

[5] Conde-Frazier, Elizabeth, *Perspectivas*-Occasional Papers, Spring 2004.

[6] Bonhoffer, Dietrich, *Vida en Comunidad* (Salamanca: Sígueme, 1992), 104.

[7] León, Jorge A., *Psicología pastoral para todos los cristianos* (Buenos Aires: Kairos, 2000).

[8] Maldonado, David, ed. *Protestants/Protestantes: Hispanic Christianity Within Mainline Traditions*. Abingdon Press 1999.

[9] Villafañe, Eldin. *El Espíritu Liberador: Hacia una ética social pentecostal hispanoamericana*. Editorial Nueva Creación, Buenos Aires (1996), 117.

[10] Mateo 20:29-24. (La Biblia de Estudio, Sociedades Bíblicas Unidas (1995)

[11] Messer, Donald E., *Contemporary Images of Christian Ministry*. Abingdon Press, Nashville, Tennessee, (1989), p.85.

[12] Buechner, Frederick, en *Spiritual Literacy: Reading the Sacred in Everyday Life*, by Frederick & Mary Ann Brussat.

[13] Tillich, Paul. *You are Accepted*. Colección intitulada: *The Shaking of the Foundations*. New York, Charles Scribner and Sons, 1955.

[14] May, Dr. Gerald. *Addiction and Grace*. San Francisco: Harper Collins Publishers. 1991.

[15] León, Jorge A. *Psicología Pastora para los cristianos*. Ediciones Kairós, Buenos Aires (2000).

[16] Véase Gerhard von Rad, *El Libro de Génesis*, Sígueme, Salamanca, 1982, p.69.

[17] Radillo, Rebeca, *Pastoral Counseling with Latinos/Hispanos Immigrants, Chapter 6 in the Clinical Handbook of Pastoral Counseling, Vol.3* Edited by Wicks, Parsons and Capps.

[18] Robbins, Richard H., *Cultural Anthropology: A Problem Based Approach*. F.E. Peackok Publishers, Inc. (1997).

[19] Villafañe, Eldin, *El Espíritu Liberador: Hacia una ética social pentecostal hispanoamericana*. Nueva Creación, Grand Rapids (1996).

[20] Hunter. Rodney. *Dictionary of Pastoral Care & Counseling*. Abingdon Press, Nashville, Tennessee, (1990).

[21] Furniss, George M. *The Social Context of Pastoral Care*, Westminster John Knox Press, (1994) p. 9.

[22] León, Jorge A. *Psicología Pastoral para todos los cristianos*. Ediciones Kairós, Buenos Aires 2000.

[23] Thurneysen, E. *Doctrine de la cure d'ame, Delacheaux et Niestle S.A. Neuchatel,* Suiza, 1958, p. 143.

[24] Kahle, Peter A. Ph.D. & Robbins, John M. Ph.D. in *The Power of Spirituality in Therapy: Integrating Spiritual and Religious Beliefs in Mental Health Practice,* (p.25). The Haworth Pastoral Press, (2004).

[25] Schwartz, Matthew, & Kaplan, Kalman, *Biblical Stories of Psychotherapy and Counseling: A Source Book. The* Haworth Press, New York, (2004).

[26] García, Ismael, *Dignidad,* Abingdon Press, Nashville, (1997).

[27] Reportado en *Senderos Teológicos,* por Luis N. Rivera Pagán. Editorial La Reforma, Puerto Rico (1989).

[28] Garcia, Ismael, *Dignidad,* Abingdon Press, Nashville (1997).

Capítulo 2

Funciones del cuidado pastoral

Introducción

Como todo ministerio, el cuidado pastoral congregacional tiene funciones específicas que realizar. Estas funciones facilitan el desarrollo saludable e integral de la persona y de las congregaciones. En este capítulo discutiremos brevemente las contribuciones de dos autores respetables en este campo e incluiré dos funciones que he reconocido como valiosas en la práctica deliberada de este ministerio en mis congregaciones.

Antes de proseguir con las funciones específicas del cuidado pastoral, es necesario hacer una distinción clara: *cuidado pastoral* no es lo mismo que *consejería pastoral.*

Esta diferenciación es de gran importancia ya que la terminología usada implica diferentes funciones, responsabilidades, privilegios y preparación espiritual, emocional e intelectual, riesgos y limitaciones. Es importante también mencionar que, al menos en los Estados Unidos, hay implicaciones legales conectadas con el uso y la interpretación de cada uno de estos términos.

En las congregaciones hispanohablantes el liderazgo usa el término consejería pastoral para expresar su relación con los feligreses lo cual casi siempre se refiere al apoyo y respaldo pastoral en tiempo de crisis, en la preparación prematrimonial de parejas, en el acompañamiento y orientación pastoral al tomar decisiones, etc. Es preciso que se use la frase «cuidado pastoral» para dichas situaciones pues las mismas entran en el marco de las funciones pastorales.

Por lo regular el liderazgo pastoral responsable de una congregación recibe de su denominación o concilio instrucciones para desarrollar estas actividades dentro del marco congregacional. Tales actividades son parte de la definición implícita en toda actividad pastoral.

Lo que no se toma en cuenta es si existen situaciones en las cuales obran dinámicas y condiciones emocionales con raíces profundas y complejas para las cuales el liderazgo pastoral no esta preparado. Estas situaciones exigen un conocimiento vasto del desarrollo del ser humano, trastornos de la personalidad o quizás depresiones clínicas que complican la situación a que se enfrenta una persona o familia.

De ser esto una realidad, cualquier tipo de decisión existencial o crisis puede provocar circunstancias para la cual el liderazgo pastoral por muy buenos deseos de ayudar que tenga, carece de la capacitación necesaria para asumir tal responsabilidad.

Esto no quiere decir que el líder congregacional no tenga un papel clave que desempeñar en dicha situación, por el contrario, su intervención como guía espiritual es única y de gran importancia y, sin duda alguna, esencial para sus feligreses. Su presencia, su apoyo y su actuación como guía espiritual le asegura un lugar de suma importancia en ser parte de la solución para los problemas de sus «ovejas».

Es precisamente en la clase de condiciones como las que presentamos donde el dialogo interdisciplinario, el conocimiento de la comunidad y el conocimiento y relaciones con servicios de salud pública, oficinas de apoyo y servicio social pueden formar lo que llamo un «equipo de restauración y apoyo», lo que constituye un grupo ideal para responder a personas con problemáticas complejas.

Hay varias causas que complican la diferenciación de estas expresiones de cuidado pastoral y consejería pastoral. La primera tiene que ver con la falta de claridad que existe en la descripción de las funciones pastorales. Es decir, muchas congregaciones tienden a pensar que su pastor/a además de líder espiritual, tiene la habilidad de resolver todas las necesidades emocionales, sociales y físicas de sus feligreses.

En comunidades pobres y en iglesias en las cuales se sirve a la creciente población de inmigrantes, sus pastores tienden a incluir estos servicios tan necesarios no solo para sus congregaciones, sino que los extienden a la comunidad en general como parte integrante de sus funciones eclesiásticas.

Aquí cabe hacer un alto para reconocer la centralidad e importancia de la iglesia y su llamado a ofrecer un servicio integral a la comunidad. Como comunidad de fe, además de ofrecer dirección espiritual de sus congregantes, ofrece también un «hogar cultural» para personas de diversas culturas y en especial para inmigrantes recientes. Ésta es una de las tantas realidades con las que nos enfrentamos como iglesias hispanas/latinas y para las cuales debemos desarrollar estrategias y programas apropiados, usando los recursos al alcance del liderazgo pastoral. Se trata de una labor de amor, pero también exhaustiva, no es posible embarcar en un proceso de consejería pastoral a largo plazo, tal ministerio requiere tiempo, el aportar energías emocionales enormes y preparación cognoscitiva.

Antes de ir más allá, es necesario recordar que el cuidado pastoral cubre todos los aspectos de la vida congregacional. Este ministerio es de gran importancia ya que a diferencia de la consejería o psicoterapia pastoral, la pastora o el pastor por su posición y autoridad dada por su denominación o concilio, está en libertad de tomar la iniciativa de acercarse a una persona e iniciar una conversación a través de la cual le deje saber que se ha dado cuenta de que parece estar más preocupada que de costumbre.

La conversación «informal» puede expresar que quizás usted haya notado un cambio en el comportamiento o aspecto físico de una persona en su congregación, tal acercamiento es una forma de dejarle saber que como líder le ha prestado atención y observado un cambio marcado en su conducta o en su rostro, y que está en la mejor disposición de escucharle y apoyarle si lo quisiera. Es decir que en la práctica del cuidado pastoral la iniciativa de la pastora o pastor es apropiada. El cuidado pastoral puede consistir en una conversación a la hora del café, en una comida o actividad social en una visita pastoral o sencillamente en una conversación telefónica.

La iniciativa pastoral o liderazgo respetada por la feligresía puede ser un gesto de empatía que facilita el establecimiento de un diálogo que le permita a la persona o familia entablar una relación de confianza y respeto, en la cual la persona pueda compartir sus necesidades y sentimientos, no ser juzgada y encontrar que se le presta atención, se le ofrece apoyo y orientación en el proceso de enfrentar su problemática así como explorar posibles soluciones para la misma.

A continuación dos de las personas cuyas contribuciones al ministerio del cuidado pastoral han sido muy prolíficas, Howard Clinebell y Carroll Wise, quienes han tratado de diferenciar los términos usados dentro del ministerio pastoral concentrándose en los temas de cuidado, consejería y psicoterapia pastoral.

Cuidado pastoral:

«Este ministerio de cuidado se refiere al ministerio amplio y abarcador de sanidad y crecimiento mutuos dentro de una congregación y su comunidad, a través del ciclo de la vida».[1]

El cuidado pastoral es una relación de tal trascendencia que la misma infunde y moldea todas las actividades que se llevan a cabo por el liderazgo pastoral. La predicación, las actividades educacionales, la administración y la liturgia son parte del cuidado pastoral».[2]

Se debe tener en cuenta que el cuidado pastoral «entreteje la espiritualidad, la ética y las perspectivas psicológicas».[3] Para llevar a cabo este ministerio, es necesario que el liderazgo se capacite mediante la preparación en la temática básica que abarca el desarrollo y el conocimiento fundamental del ser humano y su comportamiento. Este ministerio no requiere necesariamente la ordenación de sus practicantes.

Consejería pastoral:

Una de las dimensiones del cuidado pastoral es el empleo de una variedad de métodos de restauración (métodos terapéuticos) para ayudar a las personas a enfrentar sus problemas y crisis de una forma que dé lugar al crecimiento personal y a la restauración de su estado quebrantado.

La consejería pastoral es una función restauradora a la que es menester recurrir cuando el crecimiento de las personas se encuentra seriamente bloqueado por alguna crisis. La gente necesita cuidado pastoral tal vez en momentos de una crisis grave y generalmente por corto tiempo».[4]

La consejería pastoral se distingue del cuidado pastoral porque se lleva a cabo dentro de un marco estructurado y por necesidades especificas de las personas que buscan asistencia pastoral debido a conflictos profundos y complejos.

Es importante destacar que la consejería pastoral implica que la misma conlleva la participación de personas ordenadas por denominaciones que exigen que sus líderes tengan una educación formal que incluya preparación en el terreno de la psicología y sus conexiones en el campo de la teología. Este aspecto de consejería implica que la pastora o pastor tenga conocimientos psicológicos, éticos y a la misma vez entienda al ser humano y su comportamiento influídos por sus principios religiosos y morales.

La psicoterapia pastoral

«Es la utilización de métodos terapéuticos reconstructivos a largo plazo cuando el crecimiento personal ha sido profundo y/o crónicamente disminuido por experiencias de insatisfacción de necesidades básicas a una edad temprana o por múltiples crisis en la vida adulta».[5]

Un punto de suma importancia que no debe tomarse a la ligera es el valor de la educación que se necesita para atender estas áreas pastorales. Cualquier pastor responsable reconoce la necesidad de poseer la preparación adecuada para ejercer este ministerio en todos los niveles.

Si se carece de una educación adecuada y de una ética pastoral intachable, las intervenciones pueden causar un daño irreparable. Para este ministerio se necesita un conocimiento saludable del proceso y dinámicas que contribuyen al desarrollo de la personalidad.

Hay que resaltar que quienes practiquen este ministerio deben abstenerse de manipular o de imponerle a la persona los valores morales o religiosos a los que debe adherirse, actitud que a veces crea un conflicto para quienes ejercen este ministerio.

En el capitulo cinco se enfatizará la necesidad del valerse de usar el cuidado pastoral para identificar la función pastoral en el ámbito de la congregación y en el marco de las implicaciones legales y éticas de esta dimensión del ministerio contextual.

Funciones del cuidado pastoral

El cuidado pastoral es histórico. Siempre ha existido una relación estrecha entre la religión y las enfermedades físicas y emocionales. En el campo de la medicina moderna se le ha dado un lugar de importancia a las necesidades espirituales de los pacientes, lo que ha dado lugar a que los hospitales se preocupen de emplear a capellanes entrenados para asistir al personal médico en lo concerniente a la espiritualidad de sus pacientes; pero aun mucho mas importante, es un ministerio de **presencia** con personas que se enfrentan con la vulnerabilidad de la vida, el dolor y decisiones críticas con implicaciones de vida o muerte.

Para una tarea de semejante responsabilidad, no es extraño que el entrenamiento de capellanes incluya intencionalmente un programa didáctico enfatizando la reflexión teológica, oportunidades para

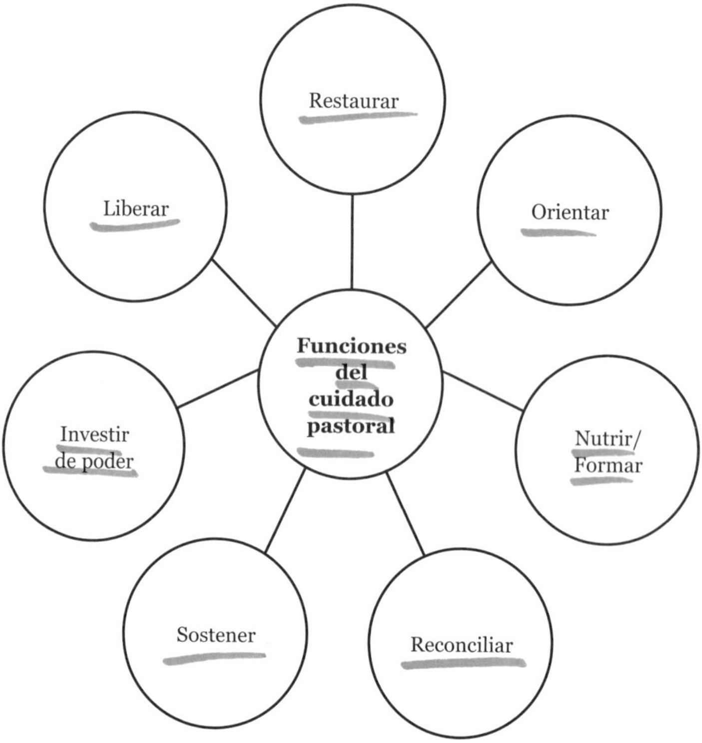

discernimiento y crecimiento personal y actividades grupales e individuales para supervisión del trabajo con pacientes, además de las largas horas de internado en hospitales.

Para responder al dolor y las crisis humanas se necesita compasión, fe e instrucción adecuada. Es notable que además de la inclusión de capellanes y el personal médico para evaluar y planear el protocolo de pacientes, el material de estudio sigue aumentando. El *Southern Medical Journal* dedicó un número casi en su totalidad al tema de la necesidad de tomar muy en serio las creencias religiosas de los/as pacientes y cómo éstas influyen en el pronóstico de tales personas.

Además de los hospitales, las prisiones, los centros laborales y las fuerzas armadas también cuentan con este ministerio especializado. Para realizar cualquiera de estos ministerios, se exige un arduo entrenamiento ya que cada una de las personas de dichas instituciones mencionadas tiene necesidades específicas que requieren una preparación amplia y profunda.

Hoy en día existen organizaciones que acreditan a personas para dichos ministerios. Aunque haya quienes no valoran o respetan la educación formal para estos ministerios especializados es realmente irresponsable eludir la preparación formal requerida y responder en forma efectiva e informada a personas que atraviesan problemas sistémicos, personales y, por supuesto, emocionales y espirituales. (En el apéndice del libro aparece una lista de organizaciones de acreditación).

Definiciones y funciones del cuidado pastoral

Un punto sumamente importante relacionado con estas funciones es que las mismas mantienen la integridad de nuestra identidad como líderes de comunidades de fe y responde a las necesidades de nuestras comunidades. El ministerio del cuidado pastoral es antiquísimo y aunque con el tiempo ha experimentado cambios apropiados, al participar en este campo ministerial estamos siendo fieles a una tradición religiosa.

En la discusión de las funciones del ministerio del cuidado pastoral encontramos distintos enfoques que se consideran propios del asesoramiento o acompañamiento pastoral. Por ejemplo, William A. Clebsh, Charles Jackle y Howard Clinebell identificaron las siguientes funciones:

Restaurar — Básicamente, el objetivo central de esta función es la restauración de la persona a su condición previa y que a la misma vez pueda sentirse renovada y en condiciones para desempeñar sus responsabilidades.

Ejemplo: Una persona pierde a un ser querido que le ha brindado apoyo y compañía, con la cual ha compartido su vida y quien le ha proporcionado momentos de alegría. De repente esta persona que ha sido parte integrante de su vida ya no puede estar a su lado para respaldarle y amarle. Esta función es de gran importancia para ayudarle durante el tiempo inmediato de pérdida y duelo. A la vez y gracias a la presencia de personas que entienden la profundidad del dolor humano, puede acompañar a la persona durante el proceso natural que sigue a esa perdida y con compasión, ayudarla a descubrir que posee destrezas y reservas que si bien en el momento del dolor intenso no les es posible apreciar, permanecen en su vida y les permitirán llevar a cabo sus obligaciones y vida cotidiana. Es importante notar que el proceso de duelo es diferente para cada persona y es preciso tener sensibilidad en este aspecto.

Sostener – Para sostener a una persona, lo primero que debe existir es **empatía y reserva** (confidencialidad siempre que esto sea posible, no en casos de abusos de menores, suicidio u homicidios), un lugar donde la persona se encuentre **segura**. Esta función dentro del ministerio del cuidado pastoral es muy significativa ya que cuando una persona viene a un líder en busca de ayuda, espera el respaldo y el apoyo de su líder. Es preciso recalcar que respaldo y apoyo no equivale a la aprobación de una conducta, se refiere a la sensibilidad con que se reciba a la persona en necesidad.

Esta función es muy importante ya que sabemos que la iglesia puede llenar un vacío muy grande en nuestra sociedad así como la escasez de lugares y personas que estén dispuestas a oír, respetar y entender las situaciones difíciles por las cuales tantas personas y familias atraviesan.

El psicólogo Donald Winnicott enfatiza la necesidad que tienen las personas de encontrar lo que el denomina un *safe holding environment*, un lugar seguro en el cual la persona se mantenga sostenida y segura. Las iglesias y el liderazgo de las mismas tienen una oportunidad única de ofrecer este ministerio; solo que hay que prepararse para poder llevar a cabo esta función critica en la vida de la feligresía de nuestras comunidades de fe.

Orientar – Orientar a una persona es en realidad un proceso educativo, espiritual y social. Esta función se basa en invitar a la persona a pensar y discutir una variedad de opciones que puedan facilitar la resolución del conflicto o crisis que se haya presentado. Es importante alentar a la persona a que piense por sí misma con relación a la situación planteada. La iniciativa y la responsabilidad de tomar la decisión descansan únicamente sobre la persona.

Esta función está vinculada a la anterior ya que ambas le presentan un reto al liderazgo pastoral, ya que la educación recibida por seminaristas y estudiantes al ministerio enfatiza las destrezas de la oratoria, pero no la necesidad de aprender a escuchar atentamente.

Se nos ha enseñado a dar consejos que esperamos que sean aceptados por quienes buscan ayuda. Resulta sin embargo problemático reconocer que quienes vienen en busca de ayuda, tienen la capacidad de tomar sus propias decisiones si alguien les escucha y les ayuda a desarrollar un proceso de discernimiento que incluya el pensamiento critico, la identificación de opciones realistas y, como resultado, llegar a tomar decisiones propias.

Ejemplo: Jesús nos enseñó perfectamente esta función en el relato de su encuentro con el joven rico, quien después de un diálogo tomó su decisión. La respuesta del joven rico no fue exactamente lo que él hubiera esperado, pero respetó su libre albedrío y su derecho a asumir la responsabilidad de su vida.

Reconciliar — La expresión histórica de esta función incorpora aspectos como la confesión y el perdón. Esta confesión no es forzada y debe garantizarse la confidencialidad. *Es importante sin embargo que se reconozca que la confidencialidad no puede respetarse en casos de suicidio, homicidio, abuso de menores o situaciones en las cuales peligra la vida del ser humano.*

La reconciliación incluye un proceso de ***aprendizaje*** en el cual la persona puede entender las dinámicas de su comportamiento y como éste le lleva a tomar decisiones positivas o negativas que producen conflictos. El concepto de confesión debe tomarse muy en serio aun por personas cuya filiación religiosa no incluya la confesión. No es siempre necesario confesarse directamente ante la persona a quien se ha ofendido. Muchas veces esto no es lo mas factible o prudente.

Formar/Nutrir — Clinebell describe esta función como la ***capacitación*** de personas para que éstas desarrollen sus potencialidades. Afirma que dicha función esta ligada estrechamente con los conceptos de ***educación y asesoramiento pastoral***. Clinebell incluye en esta definición la necesidad de desarrollar grupos de crecimiento y asesoramiento de parejas, etc.

Finalmente, he añadido dos funciones basadas en las dos plataformas de lanzamiento teológico-bíblico expuestas en el capítulo anterior, aspectos sobresalientes en un cuidado pastoral integral y con implicaciones para una acción práctica y restauradora. En nuestras congregaciones y comunidades hay quienes sufren porque nunca han experimentado el sentirse libre, sea por motivos espirituales, sociales, culturales o emocionales. Estas dos funciones presentan un reto a este ministerio y su integridad.

Liberar — Esta función consiste en proporcionar un contexto de «seguridad» y confianza mutua que facilite a la persona la oportunidad de enfrentar las experiencias que le han impedido realizar sus sueños, alcanzar metas y contribuir a la sociedad.

Esta función es de suma importancia porque le ofrece a la persona una oportunidad para que pueda tomar sus decisiones en cualquier situación. En otras palabras, el cuidado pastoral integral facilita un proceso liberador de las ataduras religiosas, emocionales y sociales, las cuales impiden vivir la vida en abundancia.

En la historia del paralítico encontramos un paralelo a lo que entendemos como el proceso liberador del cuidado pastoral. Para que exista una restauración integral, todos los aspectos de la vida deben ser liberados. La restauración espiritual se transforma en beneficio personal pero con implicaciones sociales y económicas.

El perdón interno fue de gran importancia pero hubiera resultado incompleto si Jesús no le hubiera dicho al paralítico que tomara su lecho, es decir, su atadura física y empezara a andar. Es hora de andar, de unirse a la familia y también de trabajar. Ya no tendría que estar al margen de la sociedad, ahora tenia la oportunidad y la responsabilidad de ser parte de su sociedad con todos sus beneficios y obligaciones.

Ejemplo: José Eduardo y Sara son jóvenes inmigrantes que crecieron en un país en el cual la guerra destruyó su familia. Su padre y hermano mayor fueron asesinados por el ejército de su país y las persecuciones le llevaron a salir de su tierra natal.

Al llegar a los Estados Unidos con esperanzas de trabajar, de encontrar una nueva vida para ellos dos y su madre, se encontraron que seguían siendo víctimas de persecuciones y aunque habían obtenido documentos para permanecer en este país, en la ciudad en la cual residen son objeto de actos de discriminación.

Estos jóvenes se han unido a una congregación de fe que les respeta y les alienta a luchar por sus sueños y sus esperanzas y de ser partícipes y contribuyentes de la sociedad en la que viven. Esto no ha sido fácil ya que sufrieron el desprecio de sus compatriotas y siguen recibiendo de sus nuevos vecinos el mismo trato.

Tarde o temprano tales experiencias causan daños emocionales, espirituales y psicológicos. La función de liberación ayuda a efectuar un proceso en el cual las ataduras internas y externas pueden comprenderse y ventilarse y las persones puedan apreciar su valor propio.

Investir o facultar — Ésta es una función de **transformación** de aquellas personas que se sienten víctimas y dependientes de fuerzas opresivas externas e internas que les paralizan. Las palabras de Jesús al paralítico, «levántate y anda», demuestran claramente esta función del cuidado pastoral. Otro ejemplo pertinente a la investidura de poder lo encontramos en la vida de la mujer samaritana. La atención que

Jesús le prestó a esta mujer definitivamente denota su respeto, ya que se trataba de una persona creada por Dios y capaz de vivir una vida plena.

La función liberadora que precedió el cambio de esta mujer se debe a la atención y la compresión que Jesús le demostró durante el establecimiento de un dialogo sincero. Su acción promovió una liberación interna de los prejuicios religiosos y culturales que la habían mantenido al margen de la sociedad y menospreciada por todos. Este encuentro dio lugar al «reclutamiento de la primera evangelista».

Al trabajar con personas en nuestras congregaciones y grupos comunitarios debemos entender la gran importancia de estas funciones. Ellas nos sirven de fundamento para un ministerio en el cual se integra la espiritualidad y las destrezas de los principios básicos del cuidado pastoral.

Otro punto importante relacionado con estas funciones es que mantiene íntegra nuestra identidad como líderes de comunidades de fe que responden a las necesidades de nuestras comunidades. El ministerio del cuidado pastoral es antiquísimo y aunque con el tiempo ha experimentado cambios apropiados, al participar en este campo ministerial estamos siendo fieles a tradiciones religiosas.

También he notado en mis largos años de experiencia como pastora de iglesias tanto hispanohablante como en congregaciones de la cultura dominante, que muchas personas se sienten presas de sus circunstancias y sin poder para actuar en su propio beneficio o el de sus familias. A continuación un ejemplo ilustrativo de un joven que nunca pudo vivir a plenitud:

Uno de mis clientes en mi consultorio particular es un hispano de treinta años al que llamaremos Andrés y que se crió en Nueva York. Su padre le abandonó de muy pequeño y su madre, una mujer de quien su marido abusaba, trabajaba largas horas para mantener el hogar. Durante las visitas que su padre le hacia, siempre le dejaba saber que él nunca llegaría a nada, que terminaría su vida como un adicto a las drogas.

Andrés era un chico inteligente y sin duda hubiera llegado a obtener una carrera universitaria. El medio ambiente en el que vivía era violento, sufría mucho porque amaba a su padre a pesar de todo y siempre soñaba que algún día éste le llevaría a pescar o a jugar a la pelota. Eso nunca sucedió. Su madre visitaba una iglesia con frecuencia y llevaba a Andrés.

La iglesia se preocupaba mucho del bienestar espiritual de sus feligreses y cualquier conflicto se lo achacaban al pecado individual de quienes sufrían. Andrés hacia preguntas en su escuela dominical, pero siempre lo regañaban porque sus preguntas se interpretaban como una afrenta a la teología de esta comunidad de fe. Después de cumplir los trece años nunca más regresó a la iglesia, lo cual agudizó las críticas hacia él y eventualmente provocó que su madre nunca regresara a la iglesia.

Cuando lo atendí por primera vez me impresionó mucho su inteligencia y pude palpar el dolor con el que vivía. Me dijo que estaba enfermo, que tenia SIDA y que lo había contraído por el abuso de drogas usando agujas infectadas. Sus narraciones del abuso verbal y físico recibido por su padre, los problemas con los que su madre se enfrentaba diariamente para poder lograr mantener el hogar y sus conflictos espirituales producían muchas ocasiones difíciles de escuchar y era evidente el profundo dolor que le embargaba.

En ocasiones decía: «lo que me inculcaron de niño, lo estoy viviendo en el presente... ellos tenían razón, nunca llegaría a nada... y nunca llegué a nada. Ahora me estoy muriendo lentamente y ni siquiera puedo volver a la iglesia pues me echarían fuera...». En una ocasión me comentó que, ya que en su hogar nunca recibió amor, estructura y orientación, tanto hubiera querido que en su iglesia le hubieran escuchado y abrazado.

Este caso no es único, tristemente, en mi papel de pastora y terapeuta pastoral he oído comentarios muy similares con consecuencias traumáticas y deshumanizante de parte de feligreses y clientes. El cuidado pastoral ha de fomentar la liberación integral de la persona a través de las funciones a las que he aludido, las cuales promueven un sentido de esperanza y la investidura de poder necesaria para que la persona pueda trascender las «ataduras» que le han impedido alcanzar la vida en abundancia.

Cada una de estas palabras representa una función crítica que promueve la salud emocional, social y espiritual, permitiéndole a la persona o grupo un desarrollo personal y poder desempeñar las ocupaciones propias de sus vidas individuales y familiares en forma provechosa y saludable.

La centralidad del cuidado pastoral en el ministerio congregacional

El ministerio del cuidado pastoral es básico para el crecimiento y la salud espiritual y emocional de la congregación. Una visita pastoral a una personal jubilada a quien admiro y respeto por su integridad, sabiduría y sentido del humor, discutía la temática del cuidado pastoral. Esta mujer profesional y de fe activa, participante en una de mis congregaciones, me dijo clara y firmemente que en sus años activos en su congregación lo más importante fue el cuidado pastoral recibido, lo que ella le llamaba «la encarnación de la fe». Me sorprendió su respuesta y me hizo pensar en la importancia con la cual hemos de ejercer deliberadamente este ministerio, a veces tan relegado o ignorado en muchas congregaciones y comunidades de fe.

A veces los templos son ejemplo de una arquitectura magnífica, pero con feligreses empobrecidos y sin esperanza. El cuidado pastoral a través de sus funciones inyecta salud y vida a iglesias y templos que han descuidado la vida integral de sus feligreses. Una alumna de una de las instituciones en la cual enseño, me devolvió un saludo típico de su denominación. Me di cuenta que al llegar a la clase aparentaba estar sobrecargada y preocupada. Le miré a la cara y le dije: «Carolina, después de darme esa respuesta aprendida, dime ahora cómo te sientes verdaderamente». Al oír esta frase se echó a llorar y procedía a decirme lo que le acontecía.

La respuesta de Carolina no me sorprendió. Mucha gente en las iglesias ha aprendido frases que se repiten pero que no reflejan sus verdaderas condiciones emocionales o espirituales. Ejemplos como estos no son la excepción y esto me hace pensar si en realidad, como iglesia, estamos ayudando a nuestra feligresía a sentirse libre de expresar sus emociones sin temor a la crítica o juicio.

Tanto la educación cristiana, la predicación, como la visitación y los ministerios **tradicionales** ofrecen la oportunidad de ayudar a la feligresía en el crecimiento y la madurez espiritual y emocional, a través de diálogos y experiencias que animan a la congregación a sentirse capaz de confiar sus pensamientos y sentimientos sin ser juzgada por el resto de la comunidad.

La predicación:

En cada uno de estos ministerios se puede afirmar las funciones del cuidado pastoral. A continuación encontrarán una lista parcial de cómo se expresa en el terreno de la predicación el cuidado pastoral:

- Sermones que reflejen un conocimiento realista y compasivo de la condición humana y todo lo que influye sobre la misma.
- Una predicación que invita a la congregación a pensar y evaluar críticamente tanto lo que cree como el valor de esas creencias para sus vidas.
- Las palabras que se usan desde el pulpito deben utilizarse cuidadosamente para infundir confianza.
- Es importante que siempre se tenga presente a las personas que reciben el mensaje así como las características y necesidades. Esta predicación claramente comunicará un interés genuino de parte de la pastora o pastor en el púlpito.
- La predicación es un instrumento que comunica la gracia y la aceptación de los seres humanos por parte de Dios.

Una secuencia de prácticas y ejemplos los cuales **no** expresan el cuidado pastoral:

- La predicación que fomenta la culpabilidad neurótica y no ofrece alternativas al comportamiento negativo o destructivo en el cual algunas personas se desenvuelven.
- La predicación que se usa como arma para proyectar la ira, la frustración u otra emoción nociva del predicador o predicadora hacia la feligresía.
- El púlpito nunca ha de usarse para desacreditar o avergonzar a nadie. De ser esto una realidad, ¿quién podrá confiar en su líder pastoral?
- El pulpito no es una plataforma para la explotación y manipulación de los sentimientos, los temores u otro aspecto vulnerable en la vida de la feligresía.

A las anteriores listas se le pueden añadir otras sugerencias, pero por el momento las mismas ofrecen una idea básica en cuanto a la discusión del cuidado pastoral y la predicación.

La visitación:

La Iglesia como comunidad restauradora expresa sus ministerios y su atención a la feligresía de varias maneras y a través de diferentes ministerios. Los mismos son llevados a cabo por el liderazgo pastoral y a la vez por el liderazgo laico (1 Pedro 2:9). En el ministerio de la visitación, se integran la fe y la acción (Santiago 2:14), y el cuidado pastoral como una expresión de ambas. Las siguientes palabras caben dentro de esta sección:

> «Cualquier énfasis en el ministerio del laicado significa no sólo capacitación sino también un tipo especial de cuidado pastoral. Los laicos, hombres y mujeres, deben ser alentados a utilizar los talentos pastorales que muchos de ellos poseen. En la iglesia se necesita que prevalezca la atención mutua entre el laicado y el liderazgo pastoral. Los cristianos tienen muchas oportunidades naturales de cuidar pastoralmente a sus vecinos, a sus compañeros de trabajo y a otros»
> Informe de la Segunda Asamblea General del Consejo Mundial de Iglesias[6]

La visitación como ministerio es «deliberada» y denota un interés genuino en las personas que se visitan. La visitación es una acción que busca interrelacionar a individuos y familia con la comunidad de fe. Es una respuesta de la iglesia a la soledad y marginación que padecen muchas personas en la congregación. Es también una expresión de apoyo a personas que están atravesando por crisis y contrariedades en sus relaciones, sean éstas personales, profesionales o espirituales. En una sociedad que se ha vuelto impersonal y que fomenta la fragmentación humana, la iglesia y sus miembros adoptan una posición muy diferente cuando brindan atención personal, tanto a la feligresía como a otras personas necesitadas del «toque humano».

La visitación se practica como resultado de la reflexión teológica y los mandatos bíblicos que encontramos en las Escrituras e incluye las funciones del cuidado pastoral que se mencionaron anteriormente en este capítulo. Para las mismas es necesario desarrollar la habilidad de escuchar para «entender» lo que las personas nos dicen, no solo con sus palabras, sino con sus expresiones físicas y sus emociones. Es necesario que le oigamos y respetemos su dignidad. En el capítulo cuatro, acerca de las crisis y el cuidado pastoral, estaremos ofreciendo pautas sobre la capacidad de escuchar.

Añadiremos a lo anteriormente presentado la necesidad de demostrar un sentido fidedigno de compasión y sensibilidad por las situaciones que la persona o familia atraviesa. En ocasiones, la familia a la que visitamos no puede notar la diferencia entre una visita de personas de la iglesia o de quienes le visitan para «vender un producto» o para que se unan a un club social, partido político o cualquiera otra agrupación.

Es de gran valor el desarrollo de grupos de visitación dentro de las comunidades de fe. Sin embargo, tal «ministerio» debe formarse después de una preparación, ya que lo mismo puede ser de bendición como causar serios problemas si no está bien organizado y el grupo de visitación preparado para situaciones imprevistas y complicadas que puedan surgir.

El entrenamiento para un equipo de visitación debe incluir como mínimo las siguientes áreas:

1. Exploración de la motivación de los participantes.
2. Aspectos bíblicos y teológicos de ese ministerio.
3. Conocimiento básico del contexto social y sus implicaciones para aquellas personas a quienes se visita.
4. Comprensión de los límites de la confidencialidad.
5. El manejo de situaciones críticas y de recursos disponibles para las mismas.
6. Claro entendimiento de quienes son responsables del ministerio y a quién acudir en caso de situaciones difíciles y con posibilidades de tener consecuencias peligrosas.
7. La formación de equipos de visitación en los cuales sus participantes sean afines.
8. El desarrollo de destrezas tales como:
   a. Aprender a escuchar.
   b. Conocimiento básico de cómo manejar un conflicto (en caso de que uno surja en la visita).
   c. Evitar ofrecer «soluciones» aunque éstas sean solicitadas por la persona o familia en cuestión.
   d. Diferenciación entre la «honestidad» y la falta de sensibilidad o tacto en situaciones existentes.
   e. Tiempo apropiado y duración de la visitación.

Ofrezco algunos comentarios finales referentes la preparación del equipo de visitación y su seguimiento. Es absolutamente crítico que se planee la preparación de este grupo con tiempo y que su comienzo no sea el producto de una decisión precipitada e impulsiva. Es también importante que el grupo se reúna con frecuencia con la persona responsable de coordinar, dar seguimiento y apoyo al equipo de visitación.

La persona encargada del grupo ha de tener conocimiento en las áreas presentadas como esenciales en el entrenamiento, o solicitar la cooperación de una persona profesional dentro de la congregación o en la comunidad que esté dispuesta a supervisar y asesorar este ministerio.

Resumen:

Las aplicaciones de la función del ministerio del cuidado pastoral son amplias y por naturaleza están entrelazadas con todos los aspectos de la vida congregacional. Solamente se han presentado dos ejemplos, la predicación y la visitación. En el capitulo cuatro, se presentaran otras aplicaciones del cuidado pastoral en el área de intervención de crisis, trabajo con familias, etc.

Es de suma importancia apreciar la centralidad de este ministerio en la programación general de la congregación, recordando que no se limita a «aconsejar» ya que esto mostraría una visión miope. Si lo que se quiere desarrollar es una congregación restauradora y trasformadora, entonces es fundamental que se tenga presente que este ministerio «contextual» del cuidado pastoral no puede ser ignorado o relegado a un segundo plano.

A través de las páginas de este libro hemos demostrado que existe una teología y bases bíblicas a las que el ministerio del cuidado pastoral esta íntimamente ligado. Es prudente preguntarse el por qué de la resistencia a reconocerse como parte de la vida congregacional y a integrarse deliberadamente en los programas de la misma.

Un punto muy importante para llevar a cabo las funciones del cuidado pastoral es obtener un entrenamiento en esta área ministerial. En los últimos cinco años he tenido el privilegio de ofrecer cursos y talleres de capacitación en iglesias dentro y fuera de los Estados Unidos. Nunca dejo de asombrarme de la aceptación de estos entrenamientos y la energía con la cual el grupo de participantes interviene en la dinámica del proceso educacional. También me satisface cómo, en muchas de estas comunidades de fe, están integrando este ministerio y sus funciones en sus iglesias.

Las iglesias se están enfrentando con situaciones complicadas. La feligresía acude buscando apoyo, sanidad, orientación de parte del liderazgo congregacional. Por tanto, es indispensable que la expresión de gracia, aceptación y respeto exista en las iglesias.

Aplicaciones prácticas

- ¿Ha recibido cuidado pastoral alguna vez en su vida?
- ¿Quién se lo brindó?
- ¿Cómo se sintió?
- ¿Cómo valora la experiencia?

En el presente usted es miembro de una congregación y en la misma se ha formado un equipo de visitación del cual usted forma parte. Piense en cómo usaría las funciones de cuidado pastoral en las siguientes situaciones y por qué.

A usted se le ha pedido que predique el sermón funeral en la muerte de un joven que fue víctima de la irresponsabilidad de una persona embriagada.

- Usaría los siguientes textos bíblicos...
- El énfasis de su sermón sería...
- Ofrecería consuelo de la siguiente forma...
- Se prepararía para predicar este sermón ¿cómo...?
- Otros pensamientos... emociones...

A continuación ofrecemos dos situaciones que pueden presentarse en su congregación. Lea atentamente, usando las funciones del ministerio del cuidado pastoral:

Durante una comida fraternal, la pastora escuchó el comentario de un líder de la escuela dominical, el cual estaba muy preocupado por unos de sus hijos que él creía que estaba en una de las pandillas recién formada en la escuela secundaria. Obviamente se veía preocupado y expresó que él había tratado de conversar con su hijo, pero que le había contestado en forma brusca, lo cual nunca hizo antes.

Una joven viene a conversar con usted porque se ha dado cuenta que su novio no es la persona con la cual ella quiere casarse y vivir el resto de su vida. Las diferencias de valores sociales y espirituales ya están contribuyendo a serias discusiones y problemas en la relación, el comportamiento del novio es controlador y verbalmente abusivo. Todo lo anterior le ha hecho dudar de su deseo de mantener esta relación y aun el proseguir con planes para una futura boda.

- Su plan de acción o iniciativa en cada una de estas situaciones sería...
- Utilizaría las funciones de este ministerio de la siguiente manera...

- Le daría seguimiento a su intervención inicial de la siguiente manera...
- La lectura de este capítulo le ayudó a usted a enfrentar esta situación de la siguiente forma...

Usted es parte del equipo ministerial de su iglesia. A continuación ofrecemos dos situaciones que ha encontrado en las últimas dos visitas que realizó:

Antonio José Cisneros recientemente perdió su trabajo de veinte años. Su familia ha tratado de alentarle, pero después de cuatro meses de desempleo, él se siente frustrado y no se esfuerza por buscar nuevas posibilidades de trabajo. Ha dejado de ir a la iglesia y prefiere pasarse el día mirando la televisión o sentado en el portal de su casa. También su familia esta preocupada por su cambio de carácter y por su conducta áspera con su esposa e hijas.

La familia de Ana Beatriz Salgado y Julio César González está atravesando una situación difícil debido al diagnóstico médico recibido en días pasados. Julio César necesita una operación del corazón ya que le encontraron cuatro válvulas obstruidas y necesitan ser reemplazadas. Además de su preocupación por la cirugía, se siente muy intranquilo por los problemas que está teniendo su hijo mayor en la escuela. La familia González Salgado solo lleva cinco años en este país y no tienen familiares cercanos que le apoyen. Esta familia no participa en los cultos de su iglesia y fueron sus vecinos, quienes sí son activos en la congregación, los que dieron su nombre.

- Piense detenidamente en estas dos situaciones y como respondería a cada una de ellas en forma responsable.
- Considere si usted estuviera en una de estas dos situaciones, ¿Qué esperaría si fuera visitado por personas de la congregación?
- ¿Cuáles serían sus expectaciones de tal visita?
- ¿Qué le molestaría o causaría contrariedad de alguien que le visite bajo las circunstancias descritas en estos casos?

«El cuidado y asesoramiento pastoral contribuye a una renovación continua de la vitalidad de la iglesia al proporcionar instrumentos para la renovación de las personas, de las relaciones y de los grupos».[7]
Howard Clinebell

Notas

[1] Clinebell, Howard, *Asesoramiento y cuidado pastoral.* Grand Rapids: Libros Desafío, 1995.

[2] Wise Carroll, *Pastoral Psychotherapy*: Theory & Practice, Aronson, (1980).

[3] Browning, Donald S. *Introduction to Pastoral Counseling,* en Clinical Handbook of Pastoral Counseling, Vol. 1 (p. 5). Wicks, Parsons & Capp, editors.

[4] Clinebell Howard, *Asesoramiento y cuidado pastoral.* Grand Rapids: Libros Desafío, 1995.

[5] Ibíd.

[6] *The Evanston Report,* Harper & Brothers, New York, 1955, p. 170.

[7] Clinebell, Howard. *Asesoramiento y cuidado pastoral.* Grand Rapids: Libros Desafío, 1995, p. 16.

Capitulo 3

El desarrollo de comunidades de fe, saludables y genuinas

Introducción:

Quizás debemos preguntarnos ¿por qué insertar este tópico? Aparentemente hay quienes rechazan la posibilidad de que existan comunidades de fe enfermizas. Esto lleva a una segunda pregunta: ¿si decimos que la iglesia es de Dios, cómo es posible que podamos categorizarla como institución enfermiza? Ante esa pregunta, inmediatamente hay quienes piensan y expresan su ansiedad e incluso desconcierto al respecto. Otras personas piensan que cualquier comentario es una afrenta a Dios.

¿Existe acaso una relación directa entre una iglesia enfermiza y el liderazgo congregacional? En primer lugar cabe mencionar que a través de los siglos, la Iglesia ha sido idealizada y sus fallas ignoradas o racionalizadas y aun encubiertas. Hay que recordar que la institución llamada «Iglesia» esta sujeta a las imperfecciones y el pecado humano. Durante la historia de la iglesia y aun en el presente, vemos abusos o aberraciones del poder,[1] manipulación humana y teológica, falta de integridad, entre otras.

Cualquier censura del comportamiento y acciones de la institución es recibida como una crítica a Dios o al evangelio. Muchas han sido las manchas de la iglesia, tanto dentro del catolicismo como del protestantismo. Por ejemplo, ¿y qué decir de la Inquisición, las Cruzadas, iglesias que históricamente respaldaron la esclavitud, la pena de muerte?

Recientemente hemos visto los escándalos relacionados con el abuso sexual de menores y cómo las instituciones han tratado de encubrir o de minimizar la conducta de sus líderes.

Varios años atrás hice una presentación para pastores y líderes congregacionales en la ciudad de Nueva York, con la participación de alrededor de ciento cincuenta líderes. Durante el transcurso de la conferencia presenté la idea que existen congregaciones saludables e iglesias patológicas. Tan pronto terminé dicha frase, un pastor se levantó muy airado y refutó mis palabras.

Le escuché atentamente y le agradecí su sinceridad en rebatir mis palabras. Cuando él concluyó sus argumentos proseguí a exponer las razones por las cuales había hecho tal comentario y el cual anticipaba que tuviera la posibilidad de causar esa reacción. Este hermano bien intencionado y con un ministerio respetado en la ciudad tomó mis palabras como una ofensa al evangelio.

Después de un dialogo extenso, pudo apreciar mi posición de invitar al liderazgo congregacional y reflexionar profundamente en lo que constituye una iglesia saludable y llena de vitalidad, en la cual sus feligreses encuentren una fe y espiritualidad que fomente el crecimiento integral de sus miembros y a la vez lo transmita a las comunidades en la cuales las iglesias están establecidas y donde desarrollan sus ministerios.

El pastor al cual me referí se matriculó en un programa de dos años que yo dirigía en New York. En su graduación él me invitó para que impartiera talleres de capacitación y presentara talleres de capacitación para el liderazgo de la iglesia que pastoreaba, la cual tenía varios cientos de feligreses. La honestidad de este pastor y su madurez en participar en un diálogo mutuo y su perseverancia fue inspiración y un reto personal para continuar en mi ministerio educativo en el campo del cuidado pastoral.

Mi intención en este capítulo es presentar algunas dinámicas que reflejan características de iglesias saludables, en las que sus feligreses encuentran vitalidad y que son un terreno fértil para el crecimiento integral y para el desarrollo de una fe madura. Así mismo, me referiré a lo que considero iglesias patológicas y que han dañado y causado graves problemas a un sinnúmero de personas. La práctica del ministerio del cuidado pastoral exige educación y la habilidad de discernir entre lo que constituyen iglesias saludable y patológicas. De ahí la necesidad de la inclusión de este capitulo.

Iglesias saludables

Primeramente, haré hincapié en lo que distingue a una comunidad de fe saludable, vital y energética de una iglesia enfermiza o patológica. Además, examinaremos las razones por las cuales las personas buscan las comunidades de fe. Reconozcamos que la iglesia existe en el mundo no para su propio engrandecimiento o exaltación, sino para servir al pueblo de Dios. Reconozcamos que el ministerio de Jesús estaba orientado y centrado en el ser humano y sus necesidades y no en promover agendas o ganancias personales.

La multiplicidad de razones por las cuales la gente busca la iglesia ha de tomarse muy en serio, si es que la iglesia ha de cumplir su misión restauradora y trasformadora. Para tal tarea se necesita la capacidad de examinar, analizar y discernir el ministerio que tanto la congregación y su liderazgo llevan a cabo y si este ministerio se aproxima al patrón presentado por el propio Jesús.

Las iglesias brindan dirección espiritual, apoyo y proporcionan una afiliación a un grupo respetado por la sociedad. Más que eso, las comunidades de fe son instituciones en las cuales se espera encontrar la presencia divina, fortaleza y orientación para enfrentar la vida y sus retos.

En su libro, *Psicología pastoral de la iglesia,* Jorge A. León expresa: «Toda persona que se integra a una congregación cristiana lo hace porque necesita satisfacer necesidades personales. Es de esperar que estas necesidades sean predominantemente espirituales. La psicología de las motivaciones nos muestra cuán complejo es el mundo motivacional. Al lado de las necesidades espirituales hay muchos otros: afecto, seguridad, reconocimiento, status, prestigio, poder, etc».[2]

La iglesia ha sido idealizada de tal forma que puede dar lugar a la adoración de un recinto y no un centro de salud espiritual en el cual la comunidad se reúne para la adoración, edificación, desarrollo y crecimiento integral del ser humano. Esto constituye no solamente un obstáculo para poder examinarla objetivamente y comprobar que, como institución humana, es vulnerable e imperfecta. La iglesia esta compuesta de pecadores arrepentidos y dependientes de la gracia de Dios para su diario vivir.

La iglesia saludable se caracteriza «por tener la potencialidad de ofrecer apoyo, discernimiento, aliento y sostén. Tiene las bases para que las personas se sientan acogidas y hospedadas. Posee la potencialidad de ofrecer un sentido de pertenencia o adopción. La comunión social y espiritual permite la sanidad emocional de heridas causadas por las derrotas, las disoluciones y quebrantos humanos».[3]

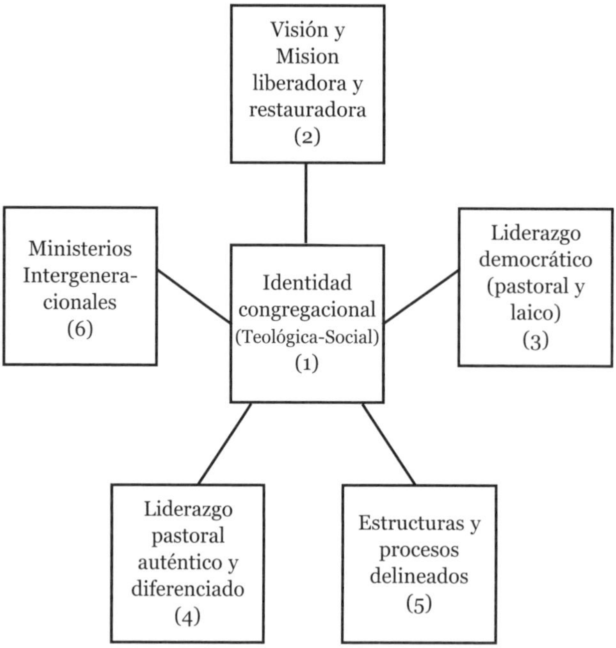

Características de una iglesia saludable:

En el diagrama que hemos insertado a continuación se ofrecen seis aspectos fundamentales en el establecimiento y desarrollo de iglesias saludables. La lista no es exhaustiva, sin embargo la misma brinda una estructura básica que permite y promueve la actualización y realización de un ministerio mutuo e integrado dentro de las comunidades de fe.

El diagrama ofrecido no ha sido conceptualizado dentro de marcos o esquemas denominacionales. Pensamos que tal diagrama ofrece generalizaciones que pueden ser adaptadas sin crear conflictos teológicos o eclesiásticos. Lo que sí refleja es un criterio efectivo y apropiado basado en el comportamiento e interacción de una conducta colectiva positiva y saludable. No hay razón para resistir la adaptación de dicho criterio a la iglesia y sus funciones.

Identidad congregacional definida:

Existen congregaciones que nunca se han ocupado de establecer su identidad y sus ministerios. Pasan su tiempo preparando programas que no reflejan la teología que sirve como fundamento de sus ministerios, ni tienen un conocimiento acertado de los retos sociales de sus comunidades. Tradicionalmente han seguido «programas» dentro de la congregación, pero sin detenerse a examinar profundamente sus acciones.

Quizás, algunas preguntas caben dentro de esta discusión, por ejemplo:

1. ¿Cómo es que mi teología y creencias bíblicas moldean mis acciones?
2. ¿Cuál es el papel de mi fe en el entendimiento del sufrimiento humano?
3. ¿Me permite mi identidad congregacional pensar y actuar libremente a favor de quienes sufren?
4. ¿Cómo refleja mi identidad congregacional el ministerio de restauración, liberación integral, inclusión radical y profundidad espiritual de Jesús?
5. ¿Incluye mi identidad congregacional la capacidad de entrelazar las necesidades espirituales, emocionales y sociales dentro de los ministerios y programas ofrecidos a través de mi iglesia?

Visión, misión liberadora y restauradora:

Las últimas dos preguntas en la sección anterior bien pueden incluirse en este epígrafe ya que la identidad congregacional es un factor determinante en el modo en que cada iglesia se organiza para servir tanto a sus feligreses como a la comunidad externa.

La visión y misión congregacional de una iglesia saludable se basa en su motivación de servir. Es imposible esperar que exista uniformidad dentro de una congregación, lo que sí es valioso y fundamental es que exista unidad. Tal unidad solamente se logrará cuando haya una visión que refleje claramente el compromiso con Dios y con los seres humanos y se desarrollen comunidades de fe que practiquen sus ministerios como expresiones concretas y tangibles del amor de Dios.

Liderazgo democrático: (parte del liderazgo pastoral y laico)

El modelo democrático de liderazgo tanto pastoral como del laicado indica madurez y respeto de parte del liderazgo de la congregación. ¿Cuales son algunas características del liderazgo democrático? La siguiente lista puede aclarar la pregunta:

- Respeta a quienes tiene bajo su liderazgo.
- Reconoce el valor, los dones y las capacidades de los miembros del grupo.
- Facilitadora, mediadora y no «experta».
- Pone metas y toma decisiones en conjunto.
- Fomenta estructuras de trabajo que den espacio a la flexibilidad y cambios si fuera necesario o si las circunstancias lo exigieran.
- Habilidad y entendimiento para concentrarse en situaciones difíciles que puedan surgir y hacerle frente.
- Expone puntos de vista y creencias personales sin negar el derecho de que otras personas expongan sus convicciones, aunque ambos puntos de vista sean diametralmente opuestos.
- Demuestra al grupo/feligreses que su interés en servirles es genuino.
- El establecimiento de expectaciones y límites en forma clara y justa.
- Evita asumir una actitud defensiva cuando alguien le plantea palabras críticas o quejas.

Liderazgo pastoral auténtico y diferenciado:

Uno de los retos más difíciles del pastorado es adquirir autenticidad personal. Con esto no se quiere decir que sea deshonesto en el constante desarrollo personal en el pastorado, lo que queremos resaltar en este corto espacio es que ningún pastor o pastora se forma en el vacío, sino que sin excepciones, somos el producto de nuestras familias, las instituciones sociales entre ellas, la iglesia y nuestra biología y personalidad.

En la formación de la identidad pastoral hay un sinnúmero de características que se han interiorizado a través de las etapas de desarrollo y de la propia educación ministerial. A la vez muchos de nosotros hemos crecido en la iglesia y hemos aprendido el comportamiento del liderazgo pastoral. Esto produce ciertos conceptos que imitamos y que no necesariamente se ajusta a nuestra manera de ser, así como a nuestras creencias y patrones de conducta. Hemos asimilado un comportamiento que es el compendio de lo aprendido de otras personas y lo que creemos como lideres.

La autenticidad es el producto de una larga exploración y el alcance de una madurez y sentido de quienes somos en realidad. Hay líderes que se intimidan al solo hecho de pensar que son diferentes y temen ser rechazados por congregaciones o denominaciones. La verdad es que sus feligreses pueden claramente identificar a quienes «viven un rol» y no «son reales o genuinos». Quizás cabe aquí ofrecer varios ejemplos:

1. Un colega me comentó que él no se atrevía a cantar música popular por temor que su congregación le criticara y pensara de que no poseía una fe verdadera.
2. Otra persona me hizo saber que le encantaba ir al cine y salir a bailar con su esposa, pero no lo hacía porque pensaba que la congregación no aprobaría que él tomara tiempo para divertirse cuando había tanta necesidad en el mundo. Es bueno aclarar que esta persona pertenece a una iglesia en la cual ni el baile ni el ir al cine les eran prohibidos.
3. Una colega me llamó para conversar conmigo y me contó que su esposo le había confesado que estaba teniendo relaciones con una compañera de trabajo y que posiblemente le pediría el divorcio. Su preocupación mayor era «el qué dirán los miembros de la congregación». Ella estaba dispuesta a ignorar la situación, su dolor y haber sido traicionada con tal de no fallar en su papel de líder. Cuando un tiempo después tuvo que hablar con sus líderes sobre la situación, reprimió sus verdaderos sentimientos.

Es importante que se tenga presente lo mucho que se ha escrito sobre el concepto de la madurez y el sentido de diferenciación necesario para dirigir una congregación. Según Ronald W. Richardson, autor de *Creating a Healthier Church* (Una Iglesia más sana), no existe ningún líder que sea capaz de distinguirse completamente de su congregación o de otras relaciones. Lo que él sugiere es que hay personas que tienen la habilidad de funcionar con otras personas.

La diferenciación consiste en la destreza que tiene una persona para poder mantener sus pensamientos y sentimientos autónomos de los que otros piensen o sientan y, por lo tanto, tener la objetividad necesaria para actuar de acuerdo con sus propios principios, creencias y valores morales y espirituales.

Ministerios intergeneracionales:

Uno de los problemas a los que las iglesias se enfrentan constantemente son los conflictos generacionales. Estos conflictos no están limitados a las congregaciones sino que los mismos reflejan lo que ocurren en los hogares en forma más dramática, y en la población hispana debido a las realidades de la inmigración.

Si la Iglesia va a ser inclusiva, ha de tomar seriamente el estudio y la evaluación del contexto social, económico y político de la realidad presente. Cada congregación ha de asesorarse de los cambios en su localidad y explorar la mejor manera de responder a las necesidades de esa comunidad. La visión y misión de las iglesias ha de revisarse para ver si en realidad la programación y ministerios que se ofrecen reflejan acertadamente su compromiso de servir a esas personas.

Uno de los problemas es que no existe un diálogo dentro de la congregación, que incluya a personas de varias generaciones y que aborde las distintas necesidades de cada generación. Hay resistencia a la implantación de los cambios necesarios en los servicios y programas fundamentales, para responder a las necesidades de los jóvenes tanto como de las personas de la tercera edad. En las congregaciones hispanas ha de contemplarse la inclusión de cultos u oficios en inglés en beneficio de jóvenes de segunda o tercera generación inmigrante.

Dentro de la población hispana se ha de hacer provisión para celebrar cultos en inglés para acomodar a jóvenes de la segunda o tercera generación inmigrante y para quienes el idioma y sus implicaciones puede ser problemático. Ofrecemos algunas sugerencias para envolver a las distintas generaciones dentro de la congregación:

- Diálogo intergeneracional
- Aprecio de lo que cada generación aporta a la congregación
- Capacidad de integrar nuevos elementos dentro de los cultos u oficios religiosos con símbolos significativos para la juventud
- Incorporación de nuevos programas que atraigan a distintos grupos
- Inclusión de jóvenes en los comités de la iglesia
- Entendimiento de la juventud bicultural y bilingüe existente en nuestras congregaciones

Estructuras y procesos claramente delineados

Una de las necesidades de cualquier estructura o sistema social es que la misma tenga procesos claros y bien delineados relacionados con la estructura de la institución. Debe existir una constitución u otros documentos en los cuales se explique cómo responder a distintas situaciones que se puedan suscitar en las congregaciones. Tal claridad facilita que la membresía entienda sus responsabilidades y privilegios así como el proceder en situaciones conflictivas. Las estructuras y procesos bien delineados evitan la confusión y facilitan la resolución de conflictos que surgen dentro de toda organización.

Las iglesias sanas demuestran que pueden enfrentarse al proceso de desarrollo y alcanzar madurez si están dispuestas a enfrentarse a los retos que se les presenten.

Resumen:

La iglesia es una institución en cuyo seno la feligresía recibe apoyo y dirección, en la cual también se educa al compartir con el liderazgo la responsabilidad de conservar la salud del grupo, mediante la solidaridad comunitaria como un asunto de familia. Dentro de la congregación surgen conflictos que si bien no son siempre oportunos, si se manejan con madurez aunque no necesariamente bienvenidos, y dando muestras de los más elevados ideales y criterios cristianos, sirven de ejemplos a la congregación de la manera de resolver problemas o situaciones conflictivas en sus hogares.

Es necesario que en las congregaciones exista el respeto y el reconocimiento de la autoridad pastoral, sin que éste se confunda o manifieste como un comportamiento autoritario o controlador. Dentro de la casa de Dios no deben existir dictaduras ni opresiones de ninguna clase. Tanto el liderazgo congregacional como el pastoral tienen responsabilidades programáticas y administrativas que exigen el planeamiento cuidadoso que incluye entrenamiento y programas educativos, además de talleres en que se den pautas a seguir sobre resolución de conflictos, relaciones humanas, modelos de liderazgo, etc.

Aplicaciones prácticas

Tome tiempo en analizar su congregación usando tanto el diagrama presentado en este capitulo como las explicaciones de cada uno de sus componentes.

Piense en el liderazgo pastoral y laico de su iglesia y decida si él mismo refleja:

- Autenticidad
- Diferenciación
- Mutualidad
- Participación democrática

Si se le pidiera que planifique talleres de capacitación para desarrollar una iglesia sana, incluiría los siguientes temas...

- ¿Cuál es la razón que le llevaría a incluir esos temas?
- ¿Cuáles no incluiría y por qué?
- ¿A quienes invitaría y por qué?

Piense en la manera que puede contribuir de formas concretas al desarrollo de una congregación saludable, en la que exista la ayuda recíproca, la autenticidad y la libertad que el mismo Jesús promovió entre sus discípulos y en sus enseñanzas.

Notas

[1] Polischuk, Pablo, *El Consejo Terapéutico,* Editorial Clie, España (1994).

[2] León, Jorge A. *Psicología Pastoral de la Iglesia.* Editorial Caribe (1986).

[3] Polischuk, Pablo. *El Consejo Terapéutico: Manual Para Pastores y Consejeros.* Editorial Clie, (1994) p. 215.

Capítulo 4

Las crisis y el cuidado pastoral

Introducción:

Hay una realidad de la cual el ser humano puede estar seguro, y es que nadie puede escapar a las crisis. Desde el nacimiento y a lo largo de nuestra vida, nos enfrentamos con un sinnúmero de situaciones insólitas que encaramos por primera vez y para las cuales no tenemos respuestas.

La primera pregunta a responder es: ¿qué es una crisis? La crisis es un evento en el cual se experimentan cambios y tensiones que exigen atención especial. Tal situación nunca se ha experimentado antes y, por consiguiente, la persona no cuenta con las herramientas psicológicas, emocionales, espirituales y sociales e incluso económicas para responder a dichas crisis.

Cada crisis es también una oportunidad para crecer y madurar, si es que se ha encontrado ayuda y apoyo de amistades, iglesias o agencias sociales, médicos, etc. Es importante señalar que las crisis son acumulativas y que, por lo tanto, es de suma importancia para nuestra vida el modo en que las enfrentemos y las controlemos.

Para algunas personas, una crisis es un reto, una oportunidad de aprendizaje y crecimiento, mientras que para otras personas, dichas crisis constituyen un callejón sin salida o una desgracia de la cual sienten o temen que nunca se recuperarán. La resolución de las experiencias de crisis depende de la salud integral de la persona o en casos de crisis familiares, del respaldo y la estabilidad de la familia y del apoyo de sus comunidades de fe y de la capacidad de sus líderes espirituales o religiosos para acompañarles durante la crisis.

David Switzer nos recuerda que «la crisis se da en lo profundo de la persona y no consiste necesariamente el experimentar un evento. Hay sucesos como la muerte de un ser querido, un divorcio, la perdida de un empleo, etc., suceso cuyo primer impacto emocional es la *interpretación* de ese suceso».[1]

Conceptualización y definiciones de crisis:

La conceptualización de lo que una crisis representa es de suma importancia ya que en nuestra posición de líderes se nos busca para responder a personas en crisis. Es importante que recordemos que no toda persona en busca de ayuda está en crisis. Puede estar simplemente en «tensión» debido a cambios en su diario vivir.

Estas dos palabras se usan como sinónimos, pero no lo son. Por ejemplo, podemos sentir tensión si estamos atrasados para una reunión, si vamos a tomar un examen o si tenemos una presentación pública.

Cuando se sufre una crisis, la tensión es parte de la misma, pero también existen otras dinámicas y emociones que en su conjunto constituyen la definición de crisis. No todas las situaciones que producen tensión constituyen una crisis, pero en toda crisis sí se experimentan estrés o tensiones.

Miremos a algunas definiciones de crisis y seguidamente veremos situaciones que pueden provocar una crisis:

1. Una crisis surge debido a un impacto drástico pero no siempre trágico. Este evento inmoviliza a la persona o a la familia.
   a. La situación provocada por este impacto inesperado sorprende a la persona o a la familia que, en consecuencia, carece de los recursos internos y externos para enfrentar la situación.
   b. Las crisis son de corta duración, pero sus efectos pueden afectar a la persona durante largo tiempo.

2. En las crisis se pueden identificar los factores que provocaron la situación. El evento que causa una crisis se experimenta como una amenaza a la vida y bienestar de la persona o del grupo.
   a. Esto da lugar a la pérdida de equilibrio u homeóstasis de la persona o el sistema en el que funciona y del cual, a su vez, recibe su sostenimiento emocional, espiritual y social.

b. El sentido de vulnerabilidad se acentúa, aumentan las tensiones, las habilidades cognoscitivas y de comportamiento disminuyen a un punto tal que la persona o familia se siente incapacitada para resolver la crisis.

3. Las crisis pueden experimentarse cuando se atraviesa por un cambio súbito y dramático que afecta notablemente las actividades y situaciones rutinarias y surge la necesidad de buscar nuevos mecanismos y nuevas destrezas y, en ocasiones, ayuda profesional para enfrentar y responder a la situación a la que nos enfrentamos.

Los autores Howard y Libbie Parad en su libro *Crisis Intervention* sugieren que las crisis pueden producir las siguientes reacciones:[2]

1. *Asombro*: «Nunca me había sentido de esta manera».
2. *Peligro:* «Siento mucho miedo, es como si algo terrible me fuera a suceder».
3. *Confusión:* «Me siento que no puede pensar claramente».
4. *Desesperación:* «Nadie me puede ayudar, nada me sirve de ayuda».
5. *Apatía:* «Nada me interesa, nada me importa».
6. *Urgencia:* «Necesito ayuda ahora».
7. *Falta de consuelo:* «Nada me conforta, me siento un miserable».

Otras emociones son:

- Desesperanza
- Falta de control sobre la vida
- Inseguridad
- Desarrollo de un sentido de culpabilidad
- Dudas de poseer una fe sólida que me sostenga
- Padecimiento de síntomas somáticos
- Empeoramiento de afecciones físicas anteriores
- Depresión o ansiedad

Antes de entrar en el origen de estas crisis es necesario mencionar que cambios positivos pueden dar lugar a crisis, tales como el heredar una gran cantidad de dinero, promociones en nuestras carreras, etc.

Génesis de las crisis

- Problemas somáticos (enfermedades físicas)
- Preocupaciones y problemas financieros

- Pérdidas irreparables en cualquier aspecto de la vida
- Tragedias naturales como, por ejemplo, ciclones, terremotos, inundaciones, etc.
- Ataques terroristas, guerras, etc.
- Problemas emocionales y mentales
- Conflictos espirituales
- Todo evento que resulte en una tensión o amenaza al bienestar físico, espiritual, económico y social de una persona, familia o grupo.
- Eventos relacionados con el proceso inmigratorio.

Tipos de crisis

Existen varios tipos de crisis. Como dijimos al principio del capítulo, por ejemplo, nos enfrentamos a las crisis en el mismo momento de nuestro nacimiento. Salimos de un lugar protegido a un mundo que no conocemos y en el cual tenemos que experimentar cambios, asumir responsabilidades por nuestro propio desarrollo y eventualmente enfrentarnos a nuestra mortalidad. Estas crisis se conocen como crisis de desarrollo.

El psicólogo Erik Erikson nos presenta una teoría muy interesante, en la cual describe una *crisis* como una experiencia normal en el desarrollo del ser humano. Esto es lo que se conoce como el concepto «epigenético». Él divide la vida del ser humano en ocho etapas de desarrollo, cada una de ellas con ciertas «tareas» a realizar y ciertas «crisis» que resolver. Por ejemplo, durante la pubertad surge la «crisis de identidad» en la cual el joven o la muchacha debe comenzar el proceso de definir su identidad. En este tiempo de crecimiento y desarrollo se experimentan crisis difíciles tanto para el/la joven como para la familia y aún para quienes trabajan con la juventud, incluyendo las comunidades de fe.

El trabajo de este psicólogo es de gran importancia para el individuo y para el liderazgo congregacional, ya que su teoría tiene implicaciones prácticas tanto para el trabajo congregacional en los ministerios educativos como en la programación general y ministerial de las iglesias. En el apéndice de éste libro se puede encontrar una muestra de estas etapas.

Además de la crisis de desarrollo, se pueden encontrar crisis que son provocadas por situaciones externas y ambientales, como cambios sociopolíticos y económicos, así como desastres naturales o ataques terroristas.

Un ejemplo específico es la experiencia del pueblo hispano/latino que sufre con frecuencia cambios sociopolíticos y económicos. El fenómeno de la inmigración ha causado graves crisis personales y familiares. Prestaremos atención a este aspecto más adelante cuando presentemos un caso de una crisis personal provocada por la inmigración.

Las crisis pueden ser provocadas también como resultado de divorcios, enfermedades graves, muerte inesperada, accidentes, actos de violencia como abusos sexuales, incesto, etc. Estas crisis pueden catalogarse dentro de las vivencias existenciales.

Cada crisis mencionada en estos párrafos exige preparación de parte del liderazgo, en primer lugar, para auxiliar o asesorar a la persona o familia que viene en busca de ayuda y, en segundo lugar, para ofrecer la ayuda apropiada a la situación que se presenta.

Un aspecto de suma importancia es prestar atención metódica a las personas que acuden a nosotros en medio de una crisis y estar en disposición de brindar acompañamiento y asesoramiento de las mismas si es que nos sentimos con la preparación adecuada para hacerlo. En caso de que la crisis sobrepase nuestras habilidades, entonces se debe remitir a la personas a profesionales, agencias sociales o a centros de salud física o mental.

La intervención en las crisis es decisiva para el asesoramiento y seguimiento de la ayuda a prestar a quienes son víctimas de una crisis. Para quienes trabajan con grupos de personas, ya sea en programas comunitarios o congregacionales, es esencial que conozcan los servicios que se ofrecen dentro de la comunidad en la que se mueven, y que desarrollen la capacidad y el conocimiento de saber como remitir a estas personas cuando enfrenta una crisis.

Es de suma importancia que los que trabajan con personas en crisis adopten el modelo bio-psico-social-espiritual presentado en el primer capítulo. Entender a la persona desde una perspectiva integral no sólo nos ayuda a responder apropiadamente a ésta cuando enfrenta una crisis, sino que nos facilita fomentar un plan de acción para la resolución de la misma.

Se corren, sin embargo, dos riesgos, uno es que se omitan detalles importantes en el asesoramiento de la crisis, y el otro es precisamente que se pierdan oportunidades de remitir a la persona o familia en problemas a instituciones o personas apropiadas para darle seguimiento a situaciones creadas por la crisis. Hay situaciones en las cuales existen una multitud de problemas y es necesario usar diferentes recursos personales y sociales.

Intervención en las crisis:

En su libro *Personas en crisis*,[3] Lee Ann Hoff presenta un proceso efectivo en el manejo de crisis que consiste de:

1. Asesoramiento de la crisis
2. Plan de acción
3. Intervención
4. Seguimiento

Este proceso es sencillo, práctico y efectivo para llevar a cabo una intervención responsable a favor de quienes buscan ayuda para enfrentar sus crisis. Sabemos que el objetivo principal en el trabajo con personas en crisis, es el de entenderles, explorar el origen de las crisis y apreciar cómo distintas personas reaccionan ante las mismas. Otro objetivo es el de proteger a quienes trabajan en estas situaciones evitando el clásico síndrome del profesional «quemado» (burnout).

El enfoque del proceso es la resolución del problema presente y el aliviar los síntomas internos y externos provocados por las crisis, facilitando así que la persona pueda volver a funcionar al nivel en que normalmente funcionaba antes de experimentar dicha crisis. Idealmente, la persona puede desarrollar nuevos mecanismos y destrezas o capacidades que le permita crecer y madurar emocional y espiritualmente. Por supuesto, es de esperar que queden residuos de la experiencia sufrida durante la crisis. Estos no siempre se manifiestan inmediatamente.

La Dra. Elizabeth Kubler-Ross, fallecida recientemente, en su trabajo con pacientes al borde de la muerte pudo identificar reacciones típicas de estas personas en una situación tan vulnerable. Aunque en su caso se trataba de personas en situaciones extremas, también estas categorías pueden aplicarse en situaciones de crisis en las cuales la persona esté consciente de su vulnerabilidad. Ella dividió estas reacciones en cinco categorías que no siguen un orden determinado y se experimentan alternadamente en las crisis.

- Incapacidad de aceptar la situación
- Cólera
- Rechazo
- Depresión: temporal o grave
- Aceptación de lo sucedido

Estas reacciones deben notarse como una de las tantas formas en que las personas en crisis buscan una razón para entender lo que les ocurre y encontrar una forma de responder a la situación en que se encuentran. Las reacciones presentadas no siguen el orden en el cual aparecen en la lista, sino que una persona puede sentir cólera antes y a admitir lo sucedido, etc.

Los trabajos científicos tradicionales en este campo sugieren por lo menos que se tenga en cuenta cuatro objetivos en mente cuando se responde a una persona/familia en crisis:

- Ayudar a quienes atraviesan por una crisis a volver al punto en el cual se encontraban antes de la crisis.
- Fomentar el crecimiento y fortalecimiento de la persona como resultado de una solución saludable y positiva de esa crisis.
- espiritual,
- emocional,
- psicológico,
- social,
- Mantenerse alerta ante la posibilidad de que la persona intente resolver la crisis negativamente y recurra al suicidio o al homicidio.
- El desarrollo de nuevas destrezas y soluciones que asistan a la personas en futuras crisis.

Elementos necesarios al intervenir en una crisis

1. Una comunicación clara en la cual se evite el uso de palabras técnicas o términos religiosos o psicológicos desconocidos, que pudieran confundir a una persona ya preocupada por su situación.
2. Evite asumir que usted sabe todo lo relacionado con la persona y como ésta se siente. No podemos dar por sentado esta realidad aunque tengamos la experiencia de una crisis personal «parecida» a la que se nos presenta. Eso sería irresponsable y mostraría una falta de sensibilidad hacia la persona.
3. Tenga presente que hay personas que no confían en nosotros, no por ser quienes somos, sino porque que en sus vidas han sido traicionadas por personas en quienes confiaron en ocasiones anteriores y no saben si en realidad, pueden o no confiar de nuevo.

4. Nuestras expresiones y la forma en que nos presentamos y respondemos a la otra persona reflejan claramente nuestras emociones y reacciones al problema o la crisis que se nos presenta. Hay que tener mucho cuidado con la comunicación verbal y gestual que reflejamos en nuestro trabajo, especialmente con personas en crisis.
5. Es de gran importancia que, durante su conversación si usted cree que no entendió lo que la persona dijo, le pida que lo repita, lo cual muestra respeto e interés en lo que le dice y le demuestra cuidado de su parte.

Factores adicionales:

1. Escuchar atentamente lo que la persona dice sin emitir juicios.
2. Permitir que la persona se exprese francamente, aun usando un lenguaje que se consideraría inapropiado o conceptos teológicos que usted no comparte.
3. Asista a la persona de tal manera que la misma pueda apreciar y entender lo que ocurre con mayor claridad.
4. Ayude a la persona a procurar el dominio de nuevas destrezas que le faciliten su respuesta a la crisis.
5. Trate de unir a la persona con una red social (remitir)
    - Grupos de apoyo
    - Trabajadores sociales
    - Terapeutas
    - Líderes religiosos o de comunidades de fe responsables y con entrenamiento apropiado para responder a personas en crisis.
6. Manténgase en contacto con la persona y de ser posible, con familiares allegados de esas personas que se encuentren «sanos».

Debemos de añadir que se debe tomar en cuenta el contexto cultural, religioso/espiritual y cultural de personas a quienes se sirve, particularmente a los inmigrantes recientes que pueden sentirse mas vulnerables, porque buscar ayuda fuera de «la familia» pueden causarles vergüenza o tensión. Hay que tener cuidado en estereotipar a personas por su género, grupo étnico, religión, posición económica, etc.

Las personas que acuden a nuestras congregaciones lo hacen porque confían en el liderazgo religioso y lo que podamos brindarles. Esto es un gran privilegio, pero a la vez supone una gran responsabilidad. Es por esta razón que el liderazgo de las comunidades de fe debe tener una preparación adecuada que incluya documentación escrita por la comunidad religiosa, tales como libros académicos.

No podemos olvidar que es nuestra responsabilidad prepararnos para esta tarea ministerial. Es necesario que el liderazgo se prepare en todos los aspectos apropiados que les facilite servir a la feligresía y contribuir a la comunidad en la cual el ministerio se lleva a cabo. *Descuidar nuestra propia salud mental, emocional y física puede impedir el cumplimiento de nuestra misión e incluso causar problemas graves a quienes servimos.*

En el ministerio del cuidado pastoral y en particular en el área de intervención en las crisis, hay que tomar en consideración otros aspectos tales como el conocimiento propio, el desarrollo de una flexibilidad que nos permita aceptar las decisiones de las otras personas, aun cuando estas decisiones estén en conflicto con nuestras convicciones.

El conocimiento que podamos tener de la comunidad y de los recursos con que ésta cuenta, tanto como la posibilidad de que tengamos que consultar personalmente con un colega u otro profesional para tener la seguridad de que estamos respondiendo adecuadamente a esta situación, puede beneficiar en gran medida a las personas a las que servimos.

Las personas y sus crisis

En esta sección nos concentraremos en algunas crisis que afectan a personas y familias en nuestra congregación y comunidades. Los temas seleccionados se discutirán en base a situaciones reales que hemos encontrado a través de los años dedicados al trabajo pastoral congregacional y en el ejercicio de la consejería pastoral. Se han alterado los nombres y algunos detalles que las personas o familias en cuestión atravesaron, pero no las situaciones.

Al comenzar esta sección es preciso recalcar que todo lo que respecta a la persona, familia o grupo en crisis, no sucede en un vacío. Lo que somos, así como nuestras familias y aun nuestras iglesias son el producto del contexto social en el cual nos hemos desarrollado y en el cual vivimos.

Las instituciones y personas con quienes la familia y sus miembros se relacionan desempeñan un papel de suma importancia en la comprensión y posible solución en tiempo de crisis. La capacidad intelectual, el medio ambiente, los valores sociales, familiares y espirituales tienen una gran influencia en el ser humano, sus experiencias y su comportamiento.

La familia es un sistema complejo que puede ser sano y ofrecer a sus miembros un ambiente en el cual el crecimiento, la formación y el desarrollo de sus miembros tengan lugar. En cambio, otras familias son conflictivas o enfermizas y les ofrecerán a sus miembros un escenario adverso.

La familia transmite los valores culturales y espirituales que afectan a la sociedad. El concepto de familia en este libro se concibe dentro del contexto hispano/latino, su idiosincrasia y las variables que existen y que se deben tomar en cuenta si es que se quiere comprender plenamente dicho sistema, especialmente en tiempo de crisis.

Formación del sistema familiar

La familia se constituye cuando dos personas se unen y establecen un hogar común. Esto se efectúa a través del matrimonio o, en el caso de otras parejas, sencillamente uniéndose. En los círculos religiosos hay personas y dogmas que denuncian esas uniones cuando la realidad es que existen en nuestras congregaciones y comunidades parejas que han estado unidas por muchísimos años sin vínculos conyugales legalmente reconocidos y que han criado a sus familias sanas y respetuosamente dentro de una estructura donde los límites y papeles de todos sus miembros están claramente definidos.

El concepto familiar debe entenderse dentro del contexto cultural, es decir, para muchas culturas la familia incluye la pareja y sus hijos e hijas solamente. Estas familias se conocen como «familias nucleares». Otras culturas forman «familias extendidas», éstas incluyen parientes, abuelos, compadres, comadres, amistades, etc. La familia hispana/latina es un ejemplo de *familia extendida*. Es común encontrar dos o más generaciones en un hogar hispano/latino.

Es importante para nuestra discusión de la familia hispana/latina el concepto del *familismo,* que juega un papel especialmente fundamental en tiempo de crisis. El vínculo familiar cementa la conexión entre los miembros de la familia y enfatiza el bienestar colectivo de la misma. Por esa razón, cada persona se siente apoyada por la familia. Algunos de los conflictos y sufrimientos de la familia hispana/latina surgen como consecuencia del proceso migratorio, debido a la falta de respaldo y apoyo de la familia extendida, sobre todo en el cuidado de menores y ancianos.

Emocional y psicológicamente el *familismo* proporciona un sentido de identidad, de seguridad y de pertenencia a un grupo en el cual la persona es conocida, apoyada, afirmada y sustentada. Ofrece también un sentido de seguridad en un contexto en el cual sus miembros celebran las alegrías y comparten sus penas y temores.

La familia es una institución de gran importancia, ya que sus miembros aunque estén distanciados emocional o geográficamente, nunca se desvinculan del sistema familiar. La «identificación familiar» se desarrolla a través de las experiencias vividas dentro de ese contexto familiar. Esta identificación surge de conductas aprendidas que son peculiares de cada familia en particular, así como normas de conducta y de los valores espirituales, culturales, políticos y sociales, presentes quizás por varias generaciones. Las funciones que aparecen a continuación han sido identificadas y expresadas en distintas formas por la mayoría de autores en este campo.

Funciones básicas de la familia como sistema:

- Atender las necesidades físicas, sociales, emocionales y espirituales de sus miembros.
- Forjar la identidad de sus miembros, como individuos y como parte de la comunidad.
- La formación de sus miembros para que funcionen y contribuyan positivamente al desarrollo de sus comunidades.
- Establecer un grupo familiar saludable en el que impere el cuidado mutuo y respeto entre sus miembros.
- Reconociendo la responsabilidad y el privilegio que Dios ha dado a la familia humana, es necesario que la vida espiritual sana sea iniciada y cultivada.
- Instrucción sexual de jóvenes y la regulación de la vida sexual y el comportamiento de los adultos en la familia.
- Fundar un hogar en el que no existan relaciones abusivas de ninguna clase, ya sea verbales, físicas o emocionales.

Es preciso que se entienda la trascendencia de estas funciones y sus interpretaciones, ya que al responder a crisis familiares es absolutamente necesario discernir cómo el sistema familiar funciona. *Es importante entender* cómo sus miembros han sido socializados y de qué forma la familia puede respaldar a miembros en tiempos conflictivos. Téngase presente que no todas las familias hispanas/latinas comparten una misma herencia cultural o educacional y espiritual y, por lo tanto, existen diferencias dentro de familias de la misma extracción cultural.

Como todo sistema, la familia se ve afectada por tensiones y crisis que causan la pérdida del equilibrio familiar y que producen confusión y, en algunos casos, caos. La familia se ve repetidamente en la necesidad de tener que adaptarse cuando los cambios tienen lugar y recobrar el equilibrio que les permita funcionar saludablemente. El equilibrio familiar es afectado por circunstancias negativas o positivas.

En los próximos párrafos presentaré un ejemplo de una crisis familiar. Es de gran importancia recordar que al ser la familia un sistema, la situación debe analizarse desde el punto de vista que nada de lo que ocurre en la familia es una crisis *individual*. Toda crisis o problema de una persona altera el sistema y el funcionamiento de sus miembros dentro del marco familiar.

Crisis de desarrollo familiar

Una de las tareas de la familia es la de orientar a sus hijos e hijas en las distintas etapas del crecimiento. No siempre el grupo familiar está preparado para ayudar en la formación de un sentido de interdependencia, que facilite el proceso de apoyar a los hijos e hijas a tomar decisiones conforme a su edad y a las tareas que han de realizarse en cada etapa de la vida. Éste es el caso de Carmen María una joven que obtuvo altas calificaciones escolares y le concedieron una beca para estudiar en una prestigiosa universidad, pero lejos del hogar. La crisis surgió cuando ella aceptó irse a estudiar.

Aunque su familia la había apoyado en sus estudios y se sentían orgullosos de que María fuera la primera en graduarse de la escuela secundaria y continuar sus estudios en el campo de la medicina, la decisión de irse a otro estado fue interpretada como abandono y falta de fidelidad a la familia. Esta decisión produjo la ruptura del equilibrio familiar. Es de importancia notar que aun en situaciones positivas, puede ocurrir una crisis.

La familia de Carmen María experimentó la crisis cuando ella le comunicó su intención. Luego de este anuncio tuvieron lugar una serie de acontecimientos que afectaron a la familia de la siguiente manera:

- Su hermano comenzó a tener problemas serios de conducta en el colegio.
- Su mamá tuvo síntomas somáticos: una úlcera que se encontraba en estado «latente» ahora le causaba problemas.
- El padre se sentía deprimido y de hecho faltó a su trabajo varias veces en un espacio de tres meses, lo cual nunca antes había sucedido.

Esta familia compartió los problemas por los que atravesaban con su pastor, que entendía bien las dinámicas familiares de esta familia y su contexto cultural. El pastor sabía que Carmen María se preparaba para ir a la universidad. El pastor visitó varias veces a la familia y en el proceso pudo ayudarles a ver la relación entre sus problemas y «la crisis de desarrollo». Su hija les dejaba para iniciar una carrera que le permitiría llevar a cabo sus planes vocacionales.

La familia comenzó a comunicar sus temores debido a la partida de la hija a una universidad lejana. Se sentían orgullosos del éxito y la tenacidad de su hija en sus estudios, lo que le permitió que obtuviera la beca. No sería fácil verla alejarse pero pudieron crear un proceso en el cual la familia participó e hicieron planes para mantenerse cerca aunque geográficamente lejos. Los síntomas que provocaron esta crisis cesaron y posteriormente la familia logró recuperar el equilibrio.

De no haber tenido la oportunidad de compartir su situación con un líder adecuadamente preparado para oír, entender y conocer a sus feligreses, es posible que la situación familiar hubiera empeorado. La resolución de esta crisis fue positiva, ya que la familia descubrió la causa de sus problemas y contó con nuevas destrezas y creció a través de un proceso en el cual llegó a descubrir que sus problemas eran el resultado directo de una crisis. Es importante notar que la familia contó con el respaldo y la dirección de un pastor preparado y sensible a lo que realmente estaba sucediendo en esta familia.

El psicólogo Erik Erikson hizo una contribución fundamental al introducir las etapas del desarrollo del ser humano. Cada una de estas etapas ofrece una oportunidad de crecimiento mediante una serie de tareas a realizar y crisis que vencer. En el apéndice de este libro el lector encontrará un esquema de las etapas por las cuales la persona pasa por distintas épocas de la vida. Es preciso que se entienda que a dichas etapas hay que añadir componentes culturales, económicos y políticos apropiados a cada situación. Al presentar distintas crisis familiares es de gran beneficio mantener presente la contribución de Erik Erikson al tema familiar.

En la crisis de la familia de Carmen María es indispensable conocer que la tarea de los padres es facilitar que la persona adulta joven trabaje para alcanzar su vocación a través de una carrera, profesión o el desarrollo de destrezas que faciliten el logro de sus sueños.

Carmen María no huía de su familia, estaba siendo fiel al apoyo recibido durante su niñez, de parte de padres que apreciaban la educación. Ella sabía que necesitaba prepararse para asumir las responsabilidades de la vida como una mujer adulta. Éste es un ejemplo sencillo pero real de una crisis de desarrollo familiar, hijos e hijas que salen del contexto hogareño y de la familia de origen, tiempo de confusión, separación y desarrollo. Este ejemplo describe la crisis de una «adulta joven» como vemos en el esquema de Erikson.

Otras crisis de desarrollo familiar surgen seguidamente después del nacimiento de un nuevo bebé. El evento considerado gozoso pero que cambia el sistema familiar, debido a la atención que reclama una criatura totalmente dependiente de la protección y el amor de sus padres. La relación entre la pareja se ve modificada por este acontecimiento. Un problema que puede surgir después del nacimiento de un bebé es que la familia extendida tenga distintas ideas sobre la crianza a sus niños y los nuevos padres son «bombardeados» por diversas opiniones y presiones que pueden causarle problemas a la pareja.

Hay tradiciones culturales, religiosas y económicas que tienen implicaciones en la crianza de los hijos o hijas. Es siempre oportuno que las parejas antes de planear la familia o tan pronto se sepa que esperan un bebé comiencen a prepararse y conocer las implicaciones de ser padres.

Como todo proceso de desarrollo, la paternidad y la maternidad son transiciones que requieren preparación y atención deliberadas, hay que recordar que es en el seno de la familia donde se forma la personalidad. En una situación bicultural hay muchos ajustes que es necesario hacer para la crianza de los hijos. Mas adelante discutiremos este tópico cuando presentemos el impacto intergeneracional de la inmigración.

Violencia doméstica

Hemos añadido la violencia doméstica en este capítulo por tratarse de un problema complicado y creciente que encontramos en nuestra sociedad y dentro de nuestras iglesias. En nuestras comunidades hispanohablantes encontramos que este fenómeno se presenta y los recursos para abordarlo son limitados. Por ello es preciso que entendamos su dinámica y la necesidad de prestar información responsable a las comunidades de fe.

Las mujeres que son víctimas de la violencia doméstica pertenecen a toda clase social, así como a todas las razas, religiones y culturas. Es necesario que al mismo tiempo tengamos en cuenta que a ninguna mujer le gusta el maltrato o el abuso.

Es un error trágico y una manifestación de ignorancia pensar que las mujeres maltratadas se quedan con sus compañeros porque «les gusta que las maltraten». Recordemos que la persona abusiva llega a controlar a la mujer de tal manera que ésta llega a creer que no hay escapatoria posible y que el salir de dicha relación constituye un fallo de su capacidad como esposa y como madre. También recordemos que el compañero abusivo usa a los hijos como objetos de chantaje emocional y que en un sinnúmero de situaciones la mujer carece de medios económicos para proveer para su familia.

Caso ilustrativo

Estando en mi oficina recibí una llamada de un tribunal pidiéndome que recibiera a una pareja joven latinoamericana que se encontraba en problemas. Como parte de la decisión del tribunal, esta pareja debía entrar en un proceso de terapia familiar. Acepté trabajar con ellos y dos días después recibí a Sandra e Ismael (nombres ficticios).

Esta joven pareja tenía una bebita de ocho meses y habían estado casados por dos años. Ambos eran atractivos e inteligentes, él tenía un buen empleo y ella había terminado la escuela superior y pensaba seguir sus estudios. Durante su matrimonio, Ismael había hecho todo lo posible para que ella se alejara de su familia. Buscó un apartamento lejos de la familia de Sandra y hacia comentarios negativos sobre la misma. Ismael era exigente, nada de lo que Sandra hacia parecía satisfacerlo, las críticas aumentaban y las discusiones se iban haciendo más intensas hasta el día que se suscitó el incidente, que llevó a Ismael a la cárcel y a ella a la casa de sus padres.

En una discusión causada por una comida que según Ismael, no era lo que él esperaba, la tomó por el cuello, la llevó hasta el borde de la escalera y sacudiéndola fuertemente, la amenazó con tirarla por las escaleras. Ella se pudo soltar y corriendo fue a casa de un vecino y llamó a la policía.

En mi oficina Ismael me juró que en verdad adoraba a Sandra y que nunca intentó herirla seriamente. Solo «quería dejarle saber que como esposo él tenía el derecho de esperar lo mejor de ella, incluyendo una comida decente». En otra ocasión me dijo: «No me explico por qué ella tuvo que llamar a la policía, los esposos tienen el derecho de corregir a sus esposas, mi padre hacía lo mismo con mamá y ella nunca llamó a la policía... no me explico por qué Sandra me ha acusado». Esta pareja también fue referida a mí porque eran evangélicos y el juez sabía que, además de ser yo terapeuta, también era pastora.

Las tradiciones culturales y religiosas que suelen justificar el abuso familiar no deben ser absueltas ni justificadas. La realidad es que dentro de todas las culturas y religiones, el problema surge de la necesidad del agresor de obtener «poder y control». En el apéndice de este libro he incluido una lista inclusiva de cómo manejar una situación de violencia doméstica y recursos apropiados para el desenvolvimiento y acción necesaria en caso de tener que confrontar este problema.

Una de las situaciones más dolorosas y peligrosas dentro de la familia es la violencia doméstica. Es una realidad triste de proporciones epidémicas, que afecta a la comunidad en general. Es de suma importancia que el liderazgo pastoral se informe bien sobre este tema ya que las iglesias no están exentas del abuso doméstico.

Las siguientes estadísticas provienen del Informe del Departamento de Justicia en cuanto a la violencia en los Estados Unidos.[4]

- Una mujer es violada cada 6 minutos.
- Una mujer es asaltada por su compañero cada 15 minutos.
- Más de un 50% de las mujeres son golpeadas alguna vez en su vida; más de un tercio son golpeadas repetidamente cada año.
- Del 25 al 45% de las mujeres que fueron golpeadas estaban embarazadas.
- El 95% de los informes policiales sobre violencia doméstica se refieren a hombres que han golpeado a sus compañeras... 9 de cada 10 mujeres asesinadas murieron en manos de hombres... 4 de cada 5 asesinatos ocurren en el hogar.
- El 30 % de las mujeres víctimas de homicidio murieron en manos de sus esposos o novios.
- Aunque casi el 30% de las mujeres víctimas de la violencia fueron asesinadas por sus esposos, ex-esposos o novios, solo el 3% de los hombres fueron asesinados por sus esposas, ex-esposas o novias.

La violencia doméstica no es un crimen o fenómeno moderno, ha existido a lo largo de la historia. Ha sido una conspiración silenciosa que afecta mayormente a la mujer. El 95% de las víctimas son mujeres de todas las esferas sociales, raciales y culturales. Las iglesias han guardado silencio durante años, ya que se han usado interpretaciones teológicas, bíblicas y dogmáticas para ejercer poder y control sobre las mujeres y los hijos.

La semántica, versículos bíblicos usado fuera de contexto y elementos de la cultura en la cual se veía a la mujer como propiedad (Jueces

19:22-29) existen aun en las mentes de dirigentes religiosos, así como la falsa excusa de que «las mujeres no quieren» o «que estén inseguras de lo que quieren», sirven como racionalización para perpetuar sistemas opresivos, injustos y por supuesto, no reflejan los principios cristianos de respeto, amor mutuo e igualdad que Jesús no solamente enseñó sino que vivió en su ministerio.

Una manera de callar y no amedrentar a las mujeres para que no se quejen es que en muchas ocasiones a quienes levantan sus voces en protesta, se les acusa de ser «feministas», lo cual todavía en muchos círculos tiene implicaciones muy negativas. Otras etiquetas de mayor consecuencias son dadas a mujeres que sencillamente quieren que se las respeten, las aprecien y sobretodo que no las maltraten.

La Iglesia Metodista Unida en sus Principios Sociales, afirma que la «familia es la comunidad básica a través de la cual sus miembros son formados y sostenidos en amor mutuo, responsabilidad, respeto y fidelidad (Par. 65 A). Dentro de este marco, los Principios Sociales categóricamente «rechazan las normas sociales que promueven distintos criterios para hombres y mujeres», (65 C). Por lo tanto eliminan toda racionalización que respalde el abuso de mujeres.[5]

Otras denominaciones también han adoptado posiciones oficiales que condenan esta práctica devastadora. Las agrupaciones de mujeres de distintas denominaciones también han redactado documentos oficiales y estudios para preparar a las congregaciones para responder a tal abuso y entender profundamente las dinámicas que provocan tal situación.

Al fin se entiende que la Iglesia no puede quedarse callada ante la vergüenza e injusticia de la violencia doméstica ni tampoco se puede operar como «refugio para autores de esos abusos».[6] La iglesia como comunidad restauradora y proveedora de un cuidado integral debe seguir brindando oportunidades de informarse respecto a la violencia doméstica y actuar para erradicarla.

Es necesario tener en cuenta en primer lugar, que la seguridad de la mujer y su familia es lo más importante. También acentuaré el hecho de que, como iglesias tenemos que tomar la posición de que el abuso no cabe dentro de un hogar y que ningún dogma o posición teológica es una excusa para infligir dolor a un ser humano ya sea físico, psicológico o emocional.

La migración y su impacto en la familia

«La migración es una transición ecológica masiva en tiempo y espacio. Comienza antes de la reubicación y continúa por un largo tiempo, afectando a descendientes de inmigrantes por varias generaciones. Aun cuando la migración haya sido voluntaria, la misma está repleta de pérdidas. Existe la pérdida del idioma, la separación de seres queridos, la emoción intangible del vacío en donde existía el hogar, la falta de compresión de cómo los empleos, escuelas, banco y hospitales funcionan. Las personas que emigran son vulnerables y susceptibles a enfermedades físicas y mentales».[7]

Hay un sinnúmero de razones por las cuales una persona o familia abandona su país natal en busca de refugio en tierras extrañas, ya sea porque huye de condiciones políticas opresivas, o por la búsqueda de oportunidades económicas o educacionales; cualquiera que sea la razón, la realidad es que a veces el sueño de inmigración se vuelve una pesadilla, o la pesadilla se vuelve la culminación de un sueño, de una esperanza realizada.

Cualquiera que sea la razón y cualquiera que sea la experiencia migratoria, no podemos negar que obviamente este cambio impacta a la familia, de tal manera que es necesario entrar en un proceso consciente y creador para facilitar tal transición. La Teoría de Sistemas ofrece una valiosa enseñanza que nos dice que por insignificantes que sean los cambios y aún los positivos, afectan a todos los miembros del círculo familiar. Por tanto, es necesario que esta realidad sea reconocida para el servicio de la población inmigrante, y por ende a otras familias de la congregación.

Antes de proseguir, es necesario que se entienda que el proceso de migración comienza mucho antes de la partida a la nueva tierra y que sus implicaciones transcienden el cambio geográfico. El impacto emocional y espiritual de la inmigración permanece por años venideros aún en las mejores circunstancias. La nueva cultura es un reto y una amenaza a los nuevos inmigrantes, el proceso de adaptación es lento y doloroso a la vez.

Otra dinámica presente en el proceso de inmigración consiste en que la persona que inicialmente tomó la decisión de emigrar es aquella que los miembros de la familia le identifican como responsable de la inmigración. Si la experiencia de la familia es positiva, esta persona será vista como un héroe, pero si resulta lo contrario, esa persona será vista como la causante de los problemas o experiencias traumáticas de la familia.

El acto de inmigración produce otras dificultades dentro del seno familiar. En los países hispanohablantes, la familia extendida brinda un contexto en el cual sus miembros tienen un apoyo mutuo de parte de quienes integran ese sistema. Al llegar a un país en el cual se valora la individualidad y la familia nuclear, esto produce incertidumbre, soledad y ansiedad.

Un factor de suma importancia es que el proceso de inmigración afecta a la persona en distintas formas, dependiendo de la edad de la persona al migrar, las razones para inmigrar, el número de miembros de la familia que deja atrás, su relación con instituciones en las cuales ha crecido y las que la han formado. Por supuesto, su tierra natal. El estrés que produce esta acción tiene consecuencias directas dentro de las dinámicas familiares y ejercen una tensión directa e intensa en el comportamiento y relaciones intergeneracionales.

He aquí otros aspectos que contribuyen al estrés de la población inmigrante, estos son:

- Choque de valores familiares, sociales, culturales, religiosos, etc. con los del país natal.
- Ruptura o debilitamiento de lazos familiares debido a la distancia.
- Cambio marcado en el sentido de la identidad.
- Racismo y marginación.
- Desconfianza de profesionales.
- Cambio de papeles sexuales.

Cada uno de estos aspectos causa la disminución del amor propio y promueve conflictos psicológicos y emocionales, que incluyen pero no se limitan a caer en una depresión, sentirse culpable o inclusive avergonzado. Un ejemplo ilustrativo:

La familia de José Ángel y Rita Cabrera durante la hora del café en una de mis congregaciones me pidieron si podían conversar conmigo antes de marcharse. Les invite a mi oficina y me pidieron mi opinión sobre un tema que habían discutido durante los últimos tres meses.

José Ángel nació en Colombia y emigró a este país después de haber conocido a su esposa, que es hija de colombianos, pero nacida en los Estados Unidos. La familia de Rita siempre ha mantenido su cultura en alta estima y le han enseñado e inculcado a sus dos hijas los valores de su cultura. José Ángel nació y se crió en Colombia hasta los veinte años. En una de las visitas de Rita a su familia en Colombia ambos se conocieron, se enamoraron y el decidió emigrar y casarse con ella.

Su plan y la expectación de su familia en Colombia era que él pudiera lograr establecerse en los Estados Unidos y triunfar. La familia en Colombia no era pobre, pero tampoco tenían para ir más allá de las necesidades básicas.

Esta pareja muy apreciada por la congregación tenían dos hijas. Ambos trabajaban pero no lograban despegar económicamente. El inglés de José Ángel es pobre y se ha dedicado a trabajar en una ocupación poco remunerada. La esposa es asistente en un colegio y aunque gana un salario promedio para el área en la cual viven, la enfermedad de una de sus hijas no le permite a la familia alcanzar sus metas financieras.

Lo que motivó a esta pareja a conversar conmigo era que la familia de Rita le dio una sorpresa y reunieron un dinero para que volvieran a Colombia a ver a la familia. A tal acto de generosidad, José Ángel respondió negativamente y cada vez que la conversación surgía, él se alteraba y se negaba categóricamente a aceptar el regalo y volver a Colombia. Indiscutiblemente esto no solo provocó una discordia matrimonial sino que también trajo grandes críticas y pesar de parte de los a familiares, que habían sacrificado tanto para que ellos volvieran con sus hijas a Colombia.

Cuando ahondé un poco en el conflicto, resultó que la razón por la cual José Ángel no quería volver era porque en su mente él había fallado, y tanto las expectativas de sus familiares en Colombia como las de él no se habían cumplido. Él no podía llegar a su país natal sin regalos, dinero y dando pruebas de su éxito personal. Llevaba años en los Estados Unidos y no tenía casa propia, su carro no era del último modelo y su esposa no reflejaba una actitud de deferencia hacia él. Un sentimiento de culpabilidad, cólera, vergüenza, y hasta depresión se había apoderado de él. Ante sus propios ojos, él había fracasado y esto lo consumía.

El llevar a cabo un ministerio de cuidado pastoral en las congregaciones inmigrantes exige conocimiento, sensibilidad y desarrollo de destrezas concretas para responder responsablemente a las necesidades específicas del pueblo inmigrante.

En iglesias en las cuales varios grupos latinos/hispanos conviven y adoran, esto es de suprema importancia pues como ya hemos mencionado con anterioridad nuestra cultura no es monolítica ni nuestras experiencias y motivación en el proceso inmigratorio uniforme, de ahí surge el reto, la sabiduría y la oportunidad de la iglesia a servir a la comunidad hispana/latina.

Crisis congregacionales

Existen dentro de las congregaciones otras crisis que pueden destruir a la congregación tanto espiritual como emocionalmente. Estas crisis destruyen y esparcen las «ovejas». Estas crisis incluyen abuso sexual, irregularidades fiscales, muerte de líderes, tragedias en las familias de la congregación, desastres nacionales tales como el 11 de septiembre, los huracanes Katrina y Rita, la guerra en Irak y otras. Si hay una institución en la sociedad que puede hacer una contribución profunda en tales crisis es la Iglesia.

Lo que da tristeza es que muchos líderes no le dan importancia al cuidado pastoral integral y se conforman con quizás un curso en el seminario o instituciones denominacionales de adiestramiento en este ministerio. En otro volumen expandiremos este concepto de crisis congregacionales y ofreceremos directrices de cómo manejarlas.

Es importante destacar que en medio de una crisis, la congregación se vuelve a la pastora o pastor buscando orientación y dirección. Las palabras de Wayne Oates claramente lo definen:

> «El pastor (sic) se traslada de una crisis a otra con aquellos a quienes pastorea... Dos mil años de ministerio cristiano han condicionado a la gente de tal modo que esperan que sus pastores estén presentes en los momentos de crisis. Por lo tanto, el pastor (sic) cristiano llega a su tarea con la fuerza de una gran herencia. A pesar de que experimenta una sensación de temor reverente en presencia de las crisis tremendas y misteriosas de la vida, también tiene un sentimiento de seguridad en el hecho de que su gente al mismo tiempo desea y espera que como líder esté presente en los tiempos de prueba».[8]

Resumen

Este capítulo lleva como título: Aplicaciones prácticas del cuidado pastoral. Los ejemplos utilizados en el mismo no son situaciones que se experimentan dentro de una oficina de profesionales con entrenamiento psicológico. Estas familias e individuos son parte de nuestras congregaciones. Participan en los oficios de adoración, en los cultos de oración, trabajan con la juventud y quizás son parte del cuerpo ministerial y no se puede descartar la posibilidad de que estos problemas existan en la familia pastoral.

La Iglesia puede ser una comunidad restauradora o una institución interesada en el cumplimiento de dogmas y no un centro de restauración integral de los seres humanos que es precisamente la razón de su existencia y ministerio.

El liderazgo congregacional tiene una responsabilidad delante de Dios y de aquellas personas que forman parte de esta comunidad. El llamado a servir al pueblo de Dios es más que un privilegio; es el llamado a poner en práctica la fe a través de acciones que restauren, vivifiquen y transformen las vidas de seres humanos tal como lo demostró Jesús.

Cada crisis tiene sus características y sus respuestas apropiadas, sin embargo es de vital importancia que el liderazgo pastoral tome en serio la necesidad de prepararse para esta área y no solamente en el campo de la predicación, la teología o la Biblia. Como líderes responsables hemos de integrar la reflexión con la práctica ministerial. El liderazgo pastoral debe entender que sus feligreses necesitan apoyo espiritual y práctico y han de buscar la adquisición de destrezas y nuevas formas de ministrar a sus rebaños.

En el capítulo cinco nos referiremos al cuidado pastoral ético. Incluiremos en esta discusión la necesidad de una educación continua, que incluya no sólo las áreas tradicionales del ministerio sino también los cambios sociales y culturales que son causan serios problemas en las vidas del rebaño, es decir, una renovación física, espiritual y emocional de parte del liderazgo pastoral.

Aplicación práctica

En el apéndice usted encontrara un ejemplo de un caso familiar. Lea el caso detenidamente y trate de desarrollar un plan de acción para la familia Díaz-Sánchez, (nombre ficticio), basado en la lectura de este capítulo, para contestar las preguntas que se incluyen en este caso.

Notas

[1] Switzer, David K. *Clinical Handbook of Pastoral Counseling,* Vol. 1, Paulist Press (1992), p. 134.

[2] Parad, Howard J. & Libbie G., *Crisis Intervention Book 2: The Practitioners Sourcebook for Brief Therapy.* Family Service America, Milwaukee, Wisconsin (1990).

[3] Hoff, Lee Ann, *People in Crisis: Understanding and Helping,* Jossey-Bass Publishers, San Francisco, (1995). Fourth Edition.

[4] http://www.vidahumana.org/vidafami/violence/estadisus.html (5-13-03)

[5] The United Methodist Church Book of Discipline, 2000.

[6] La Antorcha, Vol. 16, No. 1, Sept. 2000.

[7] Falicov, Celia Jaes, *Latino Families in Therapy: A Guide to Multicultural Practice.* The Guilford Press, New York (1998) p. 38.

[8] Oates, Wayne E. *The Christian Pastor,* Westminster, Philadelphia. (1964) p. 1.

Capítulo 5

Cuidado pastoral ético

Introducción

¿Por qué es necesario abordar este tema al referirnos al ministerio del cuidado pastoral? ¿Qué debemos incluir en los siguientes párrafos que pueda dilucidar la necesidad de ejercer este ministerio dentro de un marco ético? Este tema se incluye en el libro para:

1. Establecer pautas adecuadas en el ejercicio de este ministerio
   a. Preparación del liderazgo
      - Espiritual y emocional
      - Intelectual
   b. Limitaciones del líder al ejercer este ministerio
2. Alertar a personas que ejercen este ministerio de posibles situaciones en el transcurso del cuidado pastoral, que pudieran engendrar problemas y serias dificultades para quienes participan en esta relación.

Primeramente es necesario definir a lo que me refiero cuando hablo de lo que es la ética y sus funciones. A continuación una definición práctica, inclusiva y funcional ofrecida por Ismael García:

«La ética es la reflexión sistemática y crítica sobre la práctica moral cotidiana. Su propósito es discernir las normas que nos permiten definir y justificar lo que consideramos como moralmente bueno. En este sentido, la ética es esencialmente teoría. Así pues la ética examina las reglas, los principios, los ideales, las normas y los valores que le dan carácter concreto a nuestra comunidad —ya sea la política, nuestro grupo social, o la comunidad de la iglesia— y que entiende como moralmente bueno. Como reflexión crítica, la ética es un ejercicio normativo y no descriptivo. La ética no intenta describir nuestras prácticas morales, sino evaluar si nuestra moral cotidiana es la que debemos seguir. Por lo tanto, la ética no se preocupa de lo que es, sino de lo que debe ser».[1]

Esta definición ética aplicada al ministerio de cuidado pastoral implica que cada persona que participa en el mismo, ha de dedicar tiempo a la introspección personal y para establecer ciertas reglas que dirijan sus acciones en la práctica del mismo.

El siguiente ejemplo nos presenta un caso real que ocurrió en una congregación con la que estuve familiarizada unos años atrás, la incluyo porque es muy probable que la misma se repita con distintos protagonistas y algunos pequeños cambios.

Un miembro de su congregación se acerca a usted como miembro del Comité de Cuidado Pastoral. Este hombre le confía que está teniendo una relación con una compañera de trabajo. Él le pide por favor que usted mantenga la confidencialidad ya que la esposa no lo sabe y él teme que su matrimonio esté en peligro. Está dispuesto a romper su relación con la compañera de trabajo y comenzar a entender por qué esto sucedió. Este hombre es el director del coro de su iglesia, su esposa es una de las maestras de la escuela dominical.

Ante esta situación, ¿cómo cree que usted reaccionaria? ¿Qué ideas, emociones o posibles preguntas éticas surgirían? Quizás las preguntas a continuación reflejen sus propias preocupaciones:

- ¿Cómo debo reaccionar?
- ¿Cómo afecta esta situación mis principios teológicos y morales?
- ¿Cuál es mi responsabilidad con este hombre?
- ¿Cómo me enfrento a su esposa el próximo jueves en el ensayo del coro?
- ¿Qué debo hacer?
- ¿Qué plan de acción es el que debo tomar ante esta situación?
- ¿Poseo las destrezas para acompañar a esta persona en este proceso?
- Mi obligación ética ante esta situación es...

Es posible que cada persona que lea este libro añada otras preguntas a esta lista concisa pero ello nos ayuda a enmarcar e ilustrar este aspecto del cuidado pastoral. El excluir consciente o inconscientemente el componente ético del cuidado pastoral o de otro ministerio en la iglesia, no es solo una actitud irresponsable, sino en extremo dañino tanto para el que recibe este servicio como para quien lo ofrece.

El liderazgo congregacional está compuesto por personas que sienten un llamado de Dios a participar en la ministración de la «vida en abundancia» de quienes sirven. Todo ministerio es percibido como una decisión vocacional y el compromiso a un discipulado cristiano íntegro. Esta premisa es lo suficientemente sagrada como para descuidar el aspecto ético del ministerio.

Este capítulo está escrito tanto para la persona ordenada como para el liderazgo laico que participar en este ministerio. En ocasiones puedo haber hecho referencias específicas para el liderazgo pastoral, pero es la intención de esta autora que toda persona que lea este libro esté dispuesta a poner en práctica los principios éticos aquí presentados y reflexionar sobre las preguntas que aparecen en el mismo. Al final del capítulo se incluirá una sección específica para el liderazgo pastoral ordenado.

Características del liderazgo del cuidado pastoral

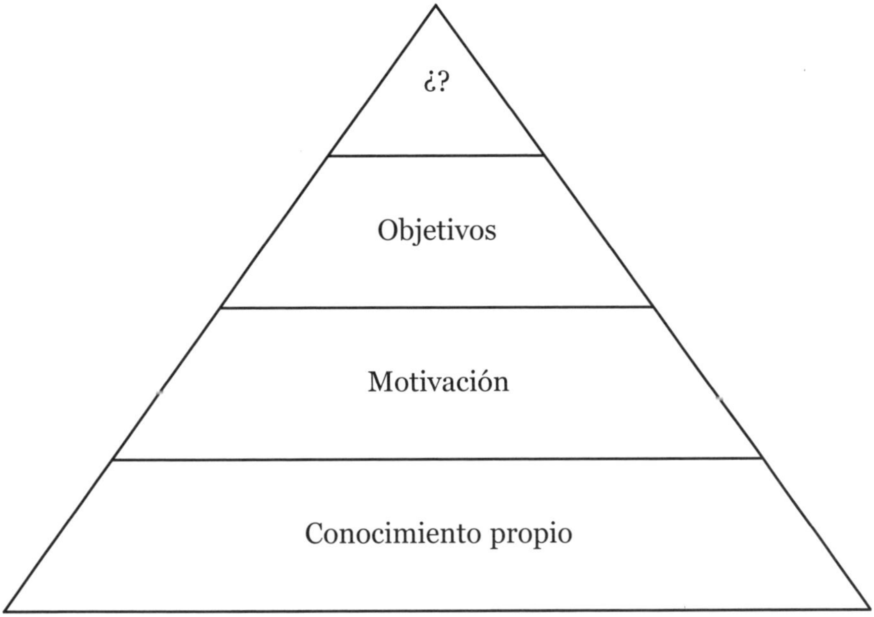

La pirámide incluye tres áreas específicas que discutiremos en breve. En el ápice aparecen solo los signos de interrogación. Estos signos simbolizan nuestro continuo crecimiento y madurez personal, espiritual y ministerial ya que siempre estamos en medio de un proceso y nuestras vidas se ven continuamente afectadas por los cambios internos y externos de nuestro ser.

El liderazgo que participa en el ministerio o servicio a la comunidad tiene la responsabilidad de adentrarse en una reflexión honesta a lo largo de sus vidas, pero muy en particular cuando se sirve a Dios y a la comunidad. Quizás sea bueno recordar las palabras de Romanos 12:2, «Transformaos por medio de la renovación de vuestro entendimiento». La transformación ha de abarcar los aspectos espirituales, emocionales y cognoscitivos del liderazgo que participa de este ministerio.

Conocimiento propio:

Sin un conocimiento propio de nuestras habilidades y flaquezas se pueden interferir en nuestra solidaridad con y el asesoramiento de otras personas. Conflictos personales con los que no nos hemos enfrentado adecuadamente pueden resultar en «piedras de tropiezo» para el trabajo con otras personas. En el apéndice del libro podrá encontrar un ejercicio preparado para facilitar el conocimiento propio y las influencias que han afectado su formación espiritual y pastoral.

Ejemplo:

Ana Luisa H. es una líder que pertenece a una congregación establecida por largo tiempo en una de las ciudades en las cuales serví en mi ministerio. Ella atravesó por un divorcio muy traumático después de largos años de casada con un hombre abusador.

Esta mujer profesional, activa en su iglesia, decidió unirse al ministerio de la visitación. En una ocasión visitó a una familia de la congregación en la cual la esposa, Estela, estaba a punto de tomar una decisión respecto a su matrimonio. En este caso no era como consecuencia del abuso físico, sino de problemas de infidelidad y alcoholismo de parte de su esposo.

Durante la visita esta persona con buenas intenciones y sincero deseo de ayudar, pasó todo el tiempo conversando con esta mujer y prácticamente diciéndole como proseguir y qué decisiones tomar en su situación.

Claramente, esta líder comprometida con su iglesia y con el servicio a los demás no pudo aceptar el hecho que la situación en el hogar de Estela era muy distinta a su propia experiencia personal. Su discapacidad en poder diferenciar entre las dos realidades le llevó a una visita inefectiva. Ana Luisa no estaba consciente de que sus conflictos y experiencias personales interferirían con su sincero deseo de servir a otras personas con problemas.

Este caso no provocó que Estela tomara una decisión con consecuencias negativas, por haber encontrado un grupo de apoyo con la ayuda del cual ella pudo tomar las decisiones que funcionarían en su caso. Ana Luisa participó en un taller ofrecido en una iglesia cercana y gracias a eso comenzó a darse cuenta de que aun debía de buscar más respaldo para lidiar con los residuos de los problemas y emociones relacionadas con su divorcio.

Motivación:

El conocimiento propio es muy importante, pero es esencial que se examine la motivación a dedicarse a este ministerio de cuidado pastoral. En el caso presentado anteriormente, vimos que la falta de conocimiento propio no produjo una visitación efectiva. Es muy probable que la motivación de Ana Luisa también estuviera atada a su experiencia personal.

Es importante que antes de comenzar cualquier ministerio u otra actividad que conlleve a una relación interpersonal, en la cual se pida o se espere que el liderazgo responda a necesidades humanas nos hagamos al menos las siguientes preguntas:

1. ¿Qué me motiva a entrar en esta relación/ministerio?
2. ¿Qué busco o espero de esta relación?
3. ¿Cómo sé si en realidad estoy trabajando a favor de las personas a quienes sirvo, o si estoy esperando algún beneficio personal?
4. ¿Busco en las personas a quienes sirvo lo que no estoy recibiendo o necesito de mi familia?
5. ¿Me siento mal cuando las personas a las cuales sirvo no responden como quiero o no muestran el agradecimiento que esperaba?
6. ¿Cómo es que mis problemas y conflictos pueden influir en mi servicio a otras personas?

La ética implícita en este ministerio conlleva un cuestionamiento constante, un sentido de curiosidad propia y una introspección que nos mantenga verdaderamente alerta de nuestros sentimientos, emociones y motivaciones para dedicarnos a este ministerio crítico para el desarrollo de la salud congregacional e individual.

En ocasiones me he encontrado con personas que están convencidas de que Dios les llama a este ministerio; sin embargo, no están dispuestas a entrenarse en todos los aspectos de su vida personal y ministerial. Creo que el ministerio del cuidado pastoral no debe tomarse a la ligera y ofrecer soluciones simplistas. Como mencionamos en los capítulos anteriores, los seres humanos son complejos y sus problemas no pueden ser minimizados.

Objetivos:

Cuando me refiero a los objetivos de este ministerio, estoy hablando de los objetivos que cada líder se propone alcanzar en la preparación y el desarrollo de su ministerio. Estos objetivos están enlazados con las funciones del cuidado pastoral expresadas en el capítulo dos.

Entre estos objetivos se entrelazan, la preparación y formación espiritual/teológica, la relación estrecha con la persona responsable del desarrollo de este ministerio congregacional, la participación de grupos de capacitación básica y estar atento a la responsabilidad de la Iglesia frente a la leyes del estado, a las que estamos sujetos como pastor o pastora.

Posibles obstáculos:

En el ministerio del cuidado pastoral, se pueden encontrar varios obstáculos debido a una multiplicidad de factores, entre ellos:

- Cuando nos preocupamos más por asumir posiciones teológicas «correctas», religiosas, morales o culturales. Piense en las implicaciones éticas de las siguientes acciones de Jesús:
    - Los discípulos arrancan espigas en sábado —San Marcos 2:23-27
    - Jesús sana a un enfermo en sábado —San Lucas 6:6-11
    - Parábola del Buen Samaritano —San Lucas 10:25-37
    - Jesús y la Mujer Samaritana —San Juan 4:1-29

- Cuando dejamos que la frustración, la ira o cualquier otro sentimiento negativo sea la verdadera motivación para dedicarnos a este ministerio. Esas emociones son percibidas por quienes servimos y no conducen a una sanidad ni a un cuidado pastoral adecuado y restaurador.

- Cuando se manipula o explota la vulnerabilidad de otros, infundiéndoles miedo o quizás explotando debilidades que hemos identificado en las personas a las cuales servimos.
- Pretender que se posee el conocimiento para abordar un problema o una situación cuando la realidad es que los conocimientos son limitados y a veces inadecuados.
- Esperar de aquellos a los que se sirve, regalos o favores especiales por nuestros esfuerzos en ayudarles con sus necesidades.
  - En la cultura hispana, los obsequios son una expresión de aprecio que se ofrece con gusto. Hay situaciones en las que la persona a la que servimos tiene recursos limitados y, sin embargo, se espera de esas personas regalos o atenciones que no pueden realmente comprar. En un sinnúmero de casos, la ayuda se convierte en una explotación de la peor clase, es decir usar el nombre de Dios y el ministerio como una excusa para obtener beneficio propio.

Consideraciones éticas para el ministerio ordenado:

En esta sección abordaremos algunos puntos específicos relacionados con la función pastoral. Me referiré al trabajo pastoral como «profesión». La palabra profesión presupone ciertas expectativas, obligaciones y responsabilidades éticas. El uso de esta palabra *no significa de modo alguno que se ha desechado el concepto de vocación y llamado, por el contrario es una manera de enfatizar la importancia de preparase adecuadamente para llevar a cabo las funciones pastorales*.

A continuación una lista de las características de una persona profesional:

- Está consciente de sus habilidades y limitaciones personales y ministeriales.
- Se compromete con una vida de crecimiento personal, intelectual y espiritual (Romanos 12:1-2)
- Cuida de su salud, física, espiritual y emocional y evita el agotamiento pastoral predominante en la sociedad actual.
- Se adhiere a un código de ética que incluya la supervisión con colegas en el ministerio y que le respalde a vivir según los más elevados principios morales y éticos.
- Se compromete a servir al ser humano mostrando el respeto y la dignidad que se merece.
- Sentido de autoridad apropiada.

- Ejerce el poder sin ser manipulador y sin oprimir a los que sirven.
- Mantiene la confidencialidad de sus feligreses siempre y cuando no quebrante las leyes establecidas por el estado, o ponga en riesgo la vida de alguien.
- Busca ayuda cuando siente que las responsabilidades son agobiantes y las fuerzas físicas, emocionales y espirituales le fallan. Tal acción es parte de la responsabilidad pastoral. De no hacerlo así, la persona puede verse expuestas a situaciones precarias.

La lista da una idea bastante general de lo que debemos tener presente como líderes pastorales. A esta lista hay que agregar el peligro que existe en el pastorado, debido a los abusos que tristemente se ven cuando se usa la influencia pastoral para la manipular a personas vulnerables o para obtener favores económicos, sociales y hasta sexuales.

En la sociedad actual hemos visto con dolor y gran inquietud el creciente número de líderes que han sido encausados y aun encarcelados por abuso de poder y la explotación de feligreses. El «agotamiento pastoral» es responsable de muchos fracasos pastorales y del abrupto fin de algunos lideres, cuyos ministerios triunfantes sufrieron una debacle a causa del empobrecimiento de la salud física, espiritual y emocional de sus líderes. En muchos casos los ministerios terminaron en forma dolorosa.

Resumen:

Las iglesias por lo regular no cuentan con una conducta o código de ética formal. Esto, sin embargo, no quiere decir que la expectativa mínima de sus líderes sea una transparencia y un comportamiento ético y moral dentro de las congregaciones y especialmente con las personas que se sirven.

Los medios de comunicación y la tecnología se han encargado de divulgar los escándalos y sucesos de muchas congregaciones, cuyos líderes han sido acusados y encarcelados por haber perpetuado abusos físicos, sexuales, psicológicos y emocionales que han surgido en iglesias. Hemos tenidos experiencias de personas sin escrúpulos y enfermas que se unen a instituciones religiosas para explotar a feligreses vulnerables.

En primer lugar, estas conductas no son nada nuevo, la diferencia es que hoy en día las congregaciones están mucho más alertas y preparadas y, por tanto, estos incidentes criminales se reportan con más frecuencia. En segundo lugar, los litigios le han costado caro a las iglesias que no han asumido la responsabilidad de educar al liderazgo pastoral y laico en lo que toca al comportamiento éticos y moral.

El comportamiento ético también se refiere a las limitaciones que tienen los líderes de las iglesias a no ofrecer servicios para los cuales no están académicamente preparados. Un ejemplo clásico que ya lo hemos mencionado en el libro es el campo de la consejería.

Dentro de las funciones pastorales se cuentan el responder a personas en crisis y la preparación de parejas para el matrimonio, etc. esto no significa que usted sea un consejero... usted simplemente ofrece el cuidado pastoral que sí está dentro de las funciones pastorales. La ética pastoral incluye el reconocimiento de límites y del daño que se puede hacer cuando se carece de la preparación adecuada para dicho ministerio La buena voluntad, el amor y el deseo de ayudar no bastan para realizar las funciones pastorales fuera de las áreas de experiencia y preparación apropiada.

El primer taller de capacitación que toda iglesia debe crear es sobre la ética pastoral. El segundo debe ser sobre las responsabilidades legales del liderazgo denominacional y pastoral y el tercero debe ser del liderazgo laico inclusivo de personas que trabajan para la iglesia, como por ejemplo chóferes de los ómnibus, conserje, etc.

Aplicaciones prácticas

A continuación ofrecemos un inventario que incluye tres áreas de suma importancia, que influyen en el desarrollo de la formación del liderazgo tanto pastoral como laico. Muchos de los problemas éticos surgen a causa de la falta de conocimiento propio y el comportamiento aprendido y que nunca se ha tomado tiempo de analizarlo y mucho menos considerar su impacto en las funciones ministeriales.

La identidad, vocación y poder

1. Piense en las cinco personas de su familia que más han influido en su vida:

2. Las personas que menos influyeron en su vida y que le causaron conflictos en la misma fueron:

3. Piense en su cultura y como ésta contribuyó al desarrollo de su personalidad; incluya estas áreas:
   - Las artes y la literatura
   - La filosofía

- La historia
- Los alimentos
- Los valores culturales
- El idioma, etc.

4. Piense e incluya otros factores que hayan influido el desarrollo de su identidad.

5. Textos bíblicos que han influido el desarrollo de su identidad como líder congregacional:

6. Personajes bíblicos con los que usted se identifica y que también han contribuido a su identidad.

7. Piense en otros factores que contribuyeron a descubrir su vocación.
   Describa a continuación cómo usted entiende su identidad en relación a su liderazgo en su comunidad de fe. Es de gran importancia que honestamente examine su liderazgo a la luz del conocimiento de sí mismo/a (identidad).
   ¿Qué descubrió sobre usted mismo/a a través de este ejercicio?

La vocación

1. Piense en las narraciones bíblicas con las que usted se identifica y cuáles tienen una relación directa con su «respuesta a servir a Dios».

2. Si usted no hubiera entrado a formar parte del liderazgo congregacional, ¿a qué cree que hubiera dedicado su vida? Piense en su respuesta detenidamente y piense en el orden que le daría a sus respuestas.

3. Defina su sentido de mayordomía en relación con el concepto vocacional.
   - Mayordomía de sus talentos
   - Mayordomía de su tiempo
   - Mayordomía de su cuerpo
   - Otros aspectos relacionados con su vocación y su vida personal/familiar

4. A usted le han pedido que hable a un grupo de jóvenes acerca de la vocación. Piense en la forma que abordaría este tema. Piense también en lo que le sería más difícil a usted de comunicarle a la juventud

5. En su opinión, ¿cuáles son los impedimentos que usted puede ver en vivir su vocación? Explique la razón o razones de su respuesta

6. Describa cómo la denominación a la que pertenece le respalda o no en el desarrollo de su vocación.

El poder

Antes de contestar las siguientes preguntas piense con detenimiento las implicaciones de las mismas para su vida personal y ministerial:

1. Mi entendimiento del concepto de poder es:

2. Teológicamente mi conceptualización de poder es:

3. Los personajes bíblicos que reflejan su comprensión de poder son:

4. En mi opinión, las siguientes personas reflejan mi concepto de poder:
    - Personas
    - Posiciones que ocupan
    - Salarios/Remuneraciones
    - Otras

5. Sus experiencias personales de poder incluyen:

6. Las fuentes de las cuales emana su sentido de poder:

7. Describa situaciones en las cuales usted se ha visto que no posee dicho poder. En su respuesta incluya lo que
    - Sintió
    - Pensó
    - Las personas que intervinieron en estas experiencias
    - Su observación y evaluación de dicha experiencia

8. Usted relaciona el poder con su identidad y su vocación de la siguiente manera:

9. Después de reflexionar en este ejercicio, piense cómo su identidad, su vocación y su sentido de poder influye en:
   - Su vida personal y familiar
   - Su liderazgo congregacional
   - Su sentido ético dentro del marco «pastoral»

Notas

[1] García, Ismael. *Introducción a la Ética Cristiana*. Abingdon Press, Nashville, Tenn.

Apéndice

Esta sección contiene:

Casos de personas con nombres ficticios pero con situaciones a las que nos enfrentamos cotidianamente. Quizás la lectura y las preguntas que se ofrecen faciliten su trabajo de cuidado pastoral. Aunque cada situación es semejante a las que encontramos en las iglesias y comunidades a las que servimos, le rogamos que recuerde que el discernimiento es esencial en este ministerio y que cada una de estas situaciones tiene sus particularidades que han de ser tomadas en cuenta al responder a las mismas.

Ejemplo # 1
Crisis familiar

Lea con detenimiento este caso y trate de entender las dinámicas reflejadas en esta situación. Se trabajará en grupos pequeños y se pedirá que un grupo presente esta situación dramatizada.

La familia Díaz-Sánchez vive en el Salvador. En el 1996 el padre, Rafael Díaz decidió trasladarse a los Estados Unidos en busca de trabajo y recursos económicos para mantener a su familia. Él tiene 37 años y Estela, su esposa, 34. Tienen dos hijos y dos hijas, esta familia radica en un pueblo pequeño de El Salvador donde su situación económica cada vez es más difícil.

Él se propuso venir a los Estados Unidos a conseguir empleo y, poco a poco, reunir lo suficiente para traer a su familia. Después de muchos preparativos y contratiempos de trámites migratorios, llego a la cuidad de San Antonio, Texas.

Como ya conocía a otros salvadoreños que residían en San Antonio, se fue a vivir a una casa con cinco de ellos. A los pocos días consiguió trabajo creyendo poder conseguir lo necesario para traer a su esposa e hijos.

El estar alejado de la familia no era fácil para él, se sentía muy aislado y la soledad le abrumaba. El trabajo era duro y el sueldo no resultó ser lo que él esperaba y por lo tanto, el plan para traer a su familia ahora se hacía mas largo. No podía hablar mucho por teléfono con ellos ya que el costo era alto y quería ahorrar lo más posible para hacer de su sueño una realidad. Rafael comienza a sentirse deprimido.

Una noche en la cual estaba libre y después de la insistencia de los amigos, sale con ellos y se toma unos tragos y aunque no estaba acostumbrado a ello, lo hace para distraerse y tratar de olvidar sus penas. Esa noche conoce a Rosa, una mujer que como él está solo en San Antonio. Entablan una conversación y luego se marchan a sus respectivos hogares.

Esta nueva amistad continúa y se ven con más frecuencia para conversar. En una de esas ocasiones, se dejan llevar por la soledad, las frustraciones y deciden que no le harán daño a nadie, si tienen una relación sexual. Piensan que son adultos y que no van a destruir sus matrimonios.

Ellos hacen un pacto de no decirle a nadie lo que ha sucedido. Como resultado de sus relaciones, Rosa sale en cinta e insiste en tener su bebé.

La situación se complica aún más cuando Estela, la esposa de Rafael, llega sorpresivamente a San Antonio. Con parte del dinero que él le envió, ella hizo arreglos para venir a reunirse con él. Al llegar a San Antonio se encuentra con la sorpresa de que Rafael ha tenido relaciones con otra mujer y que hay un bebé en camino.

Estela y su familia eran evangélicas en El Salvador, ella busca orientación y ayuda en la iglesia de su denominación.

Usted es líder/pastor(a) de la congregación. Piense en esta situación a la luz del ministerio del cuidado pastoral. Prepárese para analizar la situación y su respuesta a ella. Use la guía a continuación para la reflexión y la acción.

1. Haga una lista de las experiencias de la familia Díaz-Sánchez. En ella incluya los factores externos e internos que afectan a la familia.
2. ¿Cómo se puede aplicar en esta situación la función ministerial de la sanidad?
3. ¿Cómo se le puede dar apoyo, escuchar y orientar a esta persona?
4. ¿Qué consejo ofrecería usted para ayudar a la Sra. Díaz-Sánchez y su familia?
5. Describa el valor y significado de este ejercicio. ¿Puede usted pensar qué es lo que le sería más difícil para usted en una situación familiar como la presentada?
6. Piense en las preguntas teológicas que esta situación trae a su mente.
7. Esté alerta a los sentimientos y pensamientos que esta situación despierta en usted.

Ejemplo # 2

La familia Rosales-Riverón se ha acercado a la presidenta de la juventud para confiarles de que están teniendo problemas con su hija de 16 años. Esta joven siempre ha sido muy estudiosa y seria, sin embargo de hace tres meses para acá han notado que Jeni, su hija se está aislando de sus compañeros/as de la secundaria, no quiere asistir a las reuniones de la juventud, su maestra de matemática ha llamado al hogar ya que Jeni está fallando en sus asignaciones y sus notas han sufrido en forma dramática y en la clase ella parece no «estar presente».

Es importante que se sepa que esta familia es una de las más prominentes en la iglesia y que ambos trabajan muy de cerca con el pastor. El esposo, Manuel, es diácono de la congregación y Teresa es la tesorera y líder femenil. La familia Rosales-Riverón tiene un hijo,

Rafael, de 18 años que recientemente ingreso a las fuerzas armadas y está en un entrenamiento especial. La hija más pequeña de 12 años sufre de un problema congénito del corazón y piensan que en breve será operada en una clínica de Texas. La familia vive en New York, pero originalmente son de la República Dominicana.

El matrimonio trabaja y ganan lo suficiente para tener un hogar modesto pero cómodo. El papá trabajaba cerca de las Torres Gemelas.

1. Usted es la líder de los jóvenes... ¿Qué piensa? ¿Qué preguntas tiene?
2. Piense detenidamente sobre lo que puede estar sucediendo a una joven de esa edad.
3. Usando las etapas de desarrollo de Erickson, haga algunas sugerencias de lo que significa tener 16 años:
   - Conflictos... sueños
   - Identidad
   - Sexualidad
   - Decisiones
   - Familia
   - Iglesia
4. ¿Cómo hablaría usted a los padres?
5. ¿Qué sabe usted de la familia?

Discuta en su grupo las dinámicas que pueden estar en juego en la vida de Jeni y de la familia.

Ejemplo # 3
Crisis del suicidio (existencial)

Usted está en su oficina y le llaman de emergencia que el hijo de una persona activa en su comunidad de fe se ha suicidado. La familia está destrozada y el padre se pregunta por qué Dios permitió que esto le sucediera a su hijo.

La esposa, que también está destrozada por la pérdida de su hijo, le dice a su esposo que no debe pensar de esa forma. El esposo está tan desesperado que le contesta mal a su esposa y aparece como si hubiera perdido la razón. Este comportamiento no es típico de este hombre, quien ha sido una persona calmada y a la cual muchas personas van cuando están en problemas o necesitan consuelo.

Se comunican con usted para que venga a consolar a la familia. La pregunta aquí es cómo usted reaccionaría

- teológicamente
- emocionalmente

1. ¿Qué cree que le sería a usted lo más difícil en esta situación?
2. ¿Cuál es el rol del ministerio del cuidado pastoral en esta situación?
3. A usted le toca dirigir el funeral:
   - Tema del mensaje
   - Texto bíblico que le servirá de base para su mensaje
   - Himnos/música que usaría en el funeral.
   - ¿Qué otros recursos piensa usted que serían de valor, consuelo e inspiración y por que los usaría

Diagramas

- Diagrama ecológico

  Para entender a una persona es necesario tener conocimiento de las instituciones y sistemas que influyeron positivamente o negativamente en su formación y desarrollo.

- Etapas del desarrollo, adaptada del libro *The Life Cycle* by Erik Erickson

Resumen de las etapas de Erikson

Edad aproximada	**Resultados positivos**	**Resultados negativos**
Nacimiento a 1 año y medio	Sentimiento de confianza debido al apoyo del entorno	Miedo y preocupación hacia los demás
Año y medio a 3 años	Autosuficiencia si se promovió la exploración	Dudas acerca de uno mismo, carencia de independencia
3 a 6 años	Descubrimiento de formas de iniciar las acciones	Culpa en cuanto a acciones y pensamientos
6 a 12 años	Desarrollo de un sentimiento de capacidad	Sentimientos de inferioridad, carencia de sentido de capacidad
Adolescencia	Conciencia de ser único, conocimiento del papel a seguir	Falta de habilidad para identificar roles adecuados en la vida
Primera fase de la edad adulta	Desarrollo de relaciones sexuales amorosas y de amistades íntimas	Miedo de interactuar con los demás
Fase intermedia de la edad adulta	Sentimiento de ayuda a la continuidad de la vida	Subestimación de las actividades propias
Edad adulta tardía	Sentimiento de satisfacción con los logros de la vida	Pesar respecto de las oportunidades perdidas en la vida

Este diagrama es muy útil para entender el desarrollo del ser humano y cómo responder a crisis normales dentro del desarrollo humano. Es también un instrumento eficaz en la educación.